PASEOS POR EL CUENTO
MEXICANO CONTEMPORÁNEO

Lauro Zavala

PASEOS POR EL CUENTO MEXICANO CONTEMPORÁNEO

NUEVA IMAGEN

**Para establecer comunicación
con nosotros puede hacerlo por:**

 correo:
Renacimiento 180, Col. San Juan
Tlihuaca, Azcapotzalco,
02400, México, D.F.

 fax pedidos:
(01 55) 5354 9109 • 5354 9102

 e-mail:
info@patriacultural.com.mx

 home page:
www.patriacultural.com.mx

Dirección editorial: Raúl Godínez Cortés
Coordinación editorial: José Luis E. Bueno y Tomé

Diseño de portada: Perla Alejandra López Romo

Paseos por el cuento mexicano contemporáneo
Derechos reservados
© 2004, Lauro Zavala
© 2004, GRUPO PATRIA CULTURAL, S.A. DE C.V.
Bajo el sello de NUEVA IMAGEN
Renacimiento 180, colonia San Juan Tlihuaca
Delegación Azcapotzalco, C.P. 02400, México, D.F.

Miembro de la Cámara Nacional de la Industria Editorial
Registro núm. 43

ISBN 970-24-0620-X

Impreso en México
Printed in Mexico

Primera edición: 2004

Prólogo

Este libro está dirigido a cualquier persona interesada en la lectura y el disfrute del cuento mexicano, y en él he reunido algunos de los artículos que he escrito sobre la materia durante los últimos quince años, en los cuales he tratado de que mi entusiasmo llegue a contagiar a los lectores.

Durante mucho tiempo, el interés por el cuento literario había estado relegado por la atención que recibían la novela y la poesía. Sin embargo, la abundancia y la calidad del cuento escrito en México han motivado la realización de congresos especializados, la publicación de numerosos estudios, la escritura de tesis de grado y posgrado, y la elaboración de ediciones anotadas, biografías de escritores, ensayos críticos y antologías. Esta especie de *boom* de la lectura provocó que en la década pasada se hayan publicado casi tantos estudios y antologías del cuento mexicano como las que se produjeron durante el resto del siglo xx.

Este libro tiene su origen en el Seminario sobre *Narrativa Contemporánea* que imparto en el Posgrado de la Facultad de Filosofía y Letras de la UNAM, en una de cuyas clases mencioné que desde que se publicó en 1956 la *Breve historia del cuento mexicano* de Luis Leal no se ha vuelto a escribir un estudio semejante.

A partir de esta idea, los editores me propusieron elaborar una aproximación panorámica actualizada del cuento mexicano, dirigida a toda clase de lectores. En respuesta a esta iniciativa propuse esta serie de *Paseos por el cuento mexicano contemporáneo*, de carácter más fragmentario y lúdico que una historia secuencial y exhaustiva.

La intención de este libro es invitar al lector a pasear por los territorios del cuento mexicano. Cada una de las secciones que forman este volumen puede ser leída de manera independiente. En cada una propongo varios itinerarios. He puesto énfasis en aquellos terrenos que han sido menos explorados hasta el momento, señalando los que merecen ser más conocidos.

Los primeros ensayos son panorámicos, y ofrecen al lector una imagen muy general sobre la situación actual del cuento mexicano. Ahí propongo, entre otros recorridos, pasear por los cuentos de los años sesenta observando cómo en algunos de ellos se prefiguran los rasgos que caracterizarían al cuento escrito veinte años después, sin necesidad de mencionar siquiera ese *cuento* llamado *literatura de la Onda*.

En la segunda sección propongo algunos trayectos por rutas poco transitadas del cuento mexicano, en particular el humor, la ironía y la metaficción (es decir, los cuentos que tratan sobre la lectura y la escritura del cuento). Ahí propongo, entre otras cosas, pasear por los años noventa observando la abundancia del humor y la ironía, que tanto caracterizan a la literatura mexicana de ese periodo.

En la tercera sección propongo varios paseos por la minificción, ese género literario surgido en México a principios del siglo xx, cuya extensión es extremadamente breve y en el que contamos con escritores de la talla de Juan José Arreola.

Si al concluir estos paseos, el lector desea seguir explorando por su cuenta los terrenos del cuento mexicano, en la última sección propongo varias rutas posibles, orientadas por bibliografías diversas en relación con sus principales exponentes, las más recientes antologías y los estudios más importantes. En estos materiales es posible observar la escasez de historiografía general, reflexión teórica y didáctica de la literatura; y la abundancia, en su lugar, de crítica periodística, antologías temáticas y entrevistas con escritores.

Un paseo por los últimos cien años

En las notas de lectura que presento a continuación propongo reconocer la naturaleza posmoderna de la escritura del cuento contemporáneo en México. Se trata de una posmodernidad radicalmente distinta de la que hemos sufrido en el cuento europeo y norteamericano, pues aquélla es resultado de una exacerbación del escepticismo de posguerra. Entre nosotros, en cambio, especialmente después de la crisis de los años sesenta, la narrativa creativa ha adoptado un tono donde se combinan el humor, la ironía, la experimentación con los géneros narrativos tradicionales, y una refrescante tendencia hacia la concisión y la brevedad extremas.

El cuento clásico (1920)

El cuento clásico es el que aparece en los estudios igualmente clásicos de teoría literaria. De hecho, es el género literario que sirve como referencia para estudiar a los demás géneros, pues la novela puede ser leída como la integración de una serie de cuentos modernos, y la poesía es la síntesis intuitiva del sentido de un cuento. Los hallazgos del cuento son retomados mucho después por los otros géneros narrativos.

Pero no todos los cuentos son iguales. El cuento *clásico* tiene una estructura secuencial, es decir, se desarrolla de tal manera que la historia (aquello que se narra) coincide con el discurso (la manera de narrarlo). En cambio, el cuento *moderno* tiene una estructura fragmentaria. Y el cuento *posmo-*

derno está formado por simulacros de secuencialidad y fragmentación.

El cuento de la Revolución Mexicana es el paradigma del cuento clásico. En muchas ocasiones el cuento clásico adquiere un valor testimonial, y de ahí deriva su proximidad con la crónica periodística. Por supuesto, el clásico es el más permanente y accesible, y es el que se practica con más frecuencia en los talleres de cuento.

En los años noventa podemos encontrar cuentistas de escritura clásica cuyo interés es la recreación de una epifanía narrativa que siempre se encuentra al final del texto: los cuentos de erotismo urbano de Miguel Ángel Tenorio; los cataclismos familiares de Silvia Molina; las epifanías provincianas de Ángeles Mastretta; las revelaciones cotidianas de María Luisa Puga, las revelaciones intimistas de Beatriz Espejo o los deslumbramientos juveniles de Adriana González Mateos.

El cuento moderno (1950)

Como todas las formas de posmodernidad, la nuestra recupera irónicamente las tradiciones literarias más valiosas de las generaciones anteriores. Y entre todas ellas, la más canónica ha sido sin duda la del Medio Siglo, a la que pertenecen Inés Arredondo, Carlos Fuentes, Juan García Ponce, Sergio Pitol y Salvador Elizondo. El escepticismo de estos escritores (y otros más radicales aún, como José Revueltas) ha sido retomado por los integrantes del Crack (Volpi, Padilla, Chávez, Palou, Urroz) y por los escritores menores de 35 años.

Pero la escritura de quienes han empezado a publicar desde los años sesenta y que siguen escribiendo hoy en día, parece tener como antecedentes directos a los *otros* escritores de la década de 1950, y que, por cierto, son también los que están más presentes en el extranjero: Juan Rulfo y Juan José Arreola. La influencia de Rulfo es indirecta, pues ningún lector de literatura mexicana puede escapar de su presencia, especialmente por la fuerza de su modernidad estructural y por la intensidad de su laconismo. Pero la sensibilidad actual, en general, parece estar más próxima a la diversidad lúdica y la subjetividad poética de Arreola. Es por ello que hoy parece haber más lectores de escritores lúdicos (como Carroll, Calvino, Cortázar o Chesterton) que de escritores intimistas y expresionistas (como Camus, Carver, Chandler o Chejov).

El cuento posmoderno (1970)

El momento decisivo que marca el inicio de la posmodernidad en el cuento mexicano es el periodo 1967-1971, pues es entonces cuando se publican los primeros libros donde el humor y la ironía permiten jugar con las fronteras genéricas tradicionales, y alejarse del tono solemne característico hasta entonces al tratar los grandes temas sociales y los problemas del intimismo desolador de los años cincuenta.

Durante ese periodo se publican *La ley de Herodes*, de Jorge Ibargüengoitia; *La oveja negra y demás fábulas*, de Augusto Monterroso; *Hacia el fin del mundo*, de René Avilés Fabila; *Infundios ejemplares*, de Sergio Golwarz; *Cuál es la onda*, de José Agustín, y "Lección de cocina", de Rosario Castellanos, contenido en su *Álbum de familia*. En todos ellos existe una ironía lúdica que permite entremezclar diversas tradiciones canónicas: política, fantasía y humor (Avilés Fabila), intimismo y autoironía (Ibargüengoitia), juegos con el lenguaje (Golwarz), oralidad y experimentación formal (José Agustín), alegoría e indeterminación (Monterroso). Y por primera vez aparece el juego y la autoironía en la escritura femenina (Castellanos).

Además, también en este periodo se publica *El principio del placer*, de José Emilio Pacheco, que contiene el estupendo cuento "La fiesta brava". Se trata del *único* caso de metaficción historiográfica en el cuento mexicano, lo que muestra la inutilidad de la teoría de la canadiense Linda Hutcheon en el estudio del cuento hispanoamericano. Según esa teoría, la narrativa posmoderna se distingue por ser metaficción historiográfica (es decir, un relato acerca de la escritura literaria donde además se reescribe la historia colectiva). La mera existencia de éste y otros cuentos hispanoamericanos irreductibles a esa teoría exige la elaboración de un modelo teórico que explique la posmodernidad narrativa en términos que rebasen el limitado contexto de lo escrito en Estados Unidos y Europa.

Paréntesis teórico

En estas notas sostengo que el cuento mexicano contemporáneo es posmoderno, y esta afirmación requiere una discusión, aunque sea mínima, acerca de estos términos (*cuento* y *posmodernidad*), pues todo el mundo parece saber lo que es un cuento y nadie parece querer saber lo que es la posmodernidad literaria. Así pues, resulta conveniente recordar aquí la distinción elemental entre cuento clásico, moderno y posmoderno.

Un cuento literario de carácter *clásico* es una narración breve donde se cuentan dos historias de manera simultánea, creando así una tensión narrativa que permite organizar estructuralmente el tiempo de manera condensada, y focalizar la atención de forma intensa sobre espacios, objetos, personajes y situaciones.

En esta definición se reconoce la importancia que tienen los elementos centrales de toda narración, que son tiempo y espacio. Y también se enfatiza el hecho de que ambos elementos son controlados por el narrador (quien los focaliza y quien, en el caso del cuento, reduce el alcance de esta focalización). La tensión narrativa que define al cuento es creada por la existencia de una historia subterránea que sale a la superficie al final del cuento, y a cuyo efecto en el lector lo llamamos *epifanía*.

Los demás elementos narrativos del cuento (inicio, lenguaje, ideología, género, intertextualidad) se someten a la lógica interna de los elementos señalados.

Por otra parte, el cuento literario de carácter *moderno* (también llamado *relato*) se caracteriza por la multiplicación, la neutralización o el carácter implícto de la epifanía, así como por una asincronía deliberada entre la secuencia de los hechos narrados (historia) y la presentación de estos hechos en el texto (discurso). La segunda historia permanece implícita, y el texto requiere una lectura entre líneas o varias relecturas irónicas.

Por último, en el relato llamado *posmoderno* hay una coexistencia de elementos clásicos y modernos en el interior del texto, que le confiere un carácter paradójico. Las dos historias pueden ser sustituidas por dos géneros del discurso (lo cual define una escritura híbrida), y el final cumple la función de un simulacro; ya sea un simulacro de epifanía (posmodernidad narrativamente propositiva) o un simulacro de neutralización de la epifanía (posmodernidad narrativamente escéptica).

El rechazo a la narrativa posmoderna proviene del desmedido interés que ha despertado la primera de ambas tendencias (en México, la narrativa del *crack* y otras formas de exacerbación del escepticismo moral). Sin embargo, se ha dejado de lado la posmodernidad más híbrida y lúdica, la que dialoga con las formas de humor e ironía de los años sesenta. Por supuesto, algunos lectores prefieren el cuento clásico, y se interesan más por que se cuente una historia o por la fidelidad a las vanguardias que por las posibilidades que ofrecen el diálogo intertextual y la presencia de recursos como ia parodia, el pastiche y la polifonía que caracterizan a la minificción. En síntesis, el cuento posmoderno puede ser cualquier cosa que no cabe en el canon del cuento clásico o moderno. Incluso puede ser un simulacro de cuento.

El cuento contemporáneo (1990)

Las innovaciones de los años sesenta se multiplicaron en las siguientes décadas. Hacia fines de los años ochenta el cuento se hibridiza, es decir, se fusiona con otros géneros literarios y extraliterarios, especialmente con el ensayo y la crónica. El antecedente de esta hibridación genérica está en las vanguardias de principios de siglo (en México es inevitable la referencia a la actitud irónica del primer Salvador Novo), pero el elemento añadido es un humor apocalíptico que no siempre se encuentra en otras generaciones de cuentistas.

La hibridación es evidente en la narrativa breve y fragmentaria de Alberto Ruy Sánchez, Fabio Morábito, Dante Medina y Hugo Hiriart. ¿Dónde ubicar los textos de estos autores, que proponen una itinerancia textual entre el ensayo y la poesía erótica, entre la alegoría y la crónica periodística, entre el cuento clásico y los juegos con el lenguaje?

Pero tal vez el contingente más importante de escritores de cuento contemporáneo tiene como rasgo común el ejercicio sistemático del humor y la ironía: Óscar de la Borbolla, Francisco Hinojosa, Agustín Monsreal, Enrique Serna, Martha Cerda, Luis Miguel Aguilar, Lazlo Moussong. La narrativa mexicana se distingue por la experimentación formal, la irreverencia ideológica, el sentido de juego y la irreductibilidad a un canon genérico. El cuento clásico tiene exigencias muy precisas, y el cuento moderno las subvierte. Pero el cuento posmoderno reinventa sus posibilidades lúdicas en el momento de cada lectura.

Como consecuencia de la urbanización regional, una porción considerable de los cuentistas contemporáneos tiene un interés casi exclusivo por contar historias urbanas hasta el grado de convertir a la ciudad en el personaje central de sus cuentos. Tan sólo en la ciudad de México, ese conglomerado formado por numerosas ciudades fragmentadas y aglutinadas de manera caótica, hay cuentistas cuya producción está escrita en el lenguaje propio de una zona particular. Así, algunas zonas urbanas ya cuentan con una tradición y un lenguaje narrativo propio, como es el caso de Tepito (Armando Ramírez), Neza (Emiliano Pérez Cruz), Doctores (Paco Ignacio Taibo II), Roma (Ignacio Trejo Fuentes), Condesa (Rafael Pérez Gay) y Copilco (Guillermo Sheridan).

Simultáneamente, las regiones cuentan con sus propias mitologías y estrategias narrativas, oscilando entre la oralidad y la escritura poética, como es el caso de Daniel Sada, Jesús Gardea, Ricardo Elizondo y Eraclio Zepeda. Y otros más han establecido parámetros individuales de modernidad literaria, ya sea alejándose de la discursividad oficial (Alejandro Rossi), jugando con una intertextualidad itinerante (Agustín Cadena), empleando recursos del cuento en textos periodísticos (Juan Villoro) o proponiendo ensayos epistolares (Bárbara Jacobs).

Nuevas formas de contar (2000)

Si existe una forma de narrativa breve producida en México que tiene una presencia destacada en el panorama internacional, ésta es, sin duda, la minificción, es decir, la escritura narrativa cuya extensión no rebasa una página impresa. Aunque sus antecedentes más importantes se encuentran desde principios de siglo (Arreola, Torri y Monterroso constituyen el paradigma A.T.M. de la minificción mexicana), ha sido durante la última década cuando este género de la brevedad extrema ha sido desarrollado de manera más notoria, y cuando ha empezado a recibir mayor atención por parte de lectores y editores. La tradición de la minificción incluye practicantes tan diversos como Nellie Campobello, Octavio Paz y René Avilés Fabila.

Entre los escritores de minificción más destacados en los últimos diez años se encuentran Guillermo Samperio, José de la Colina y Felipe Garrido. Y aunque algunos autores de minificción también han publicado libros de cuento o poesía

(Mónica Lavín, Raúl Renán, Ethel Krauze, Hernán Lavín Cerda), otros se empiezan a especializar en el género, como Rafael Bullé-Goyri, en Xalapa; Norberto de la Torre, en San Luis Potosí; y Roberto López Moreno, en Chiapas.

La fragmentación en la narrativa mexicana contemporánea tiende hacia la fractalidad, es decir, hacia la escritura de unidades narrativas autónomas de extensión mínima con cierta semejanza entre ellas. Por esta razón se puede hablar de novelas formadas por minificciones integradas, como las de Alberto Chimal (Toluca), Jorge Arturo Abascal (Puebla), Primavera Téllez y Waldo González (Xochimilco), Andrés Acosta (México) y Luis Humberto Crosthwaite (Tijuana), para quienes el antecedente imprescindible es *La feria*, de Juan José Arreola.

La calidad y la originalidad de la minificción en México y el resto de hispanoamérica ha provocado la realización de congresos internacionales, la creación de revistas especializadas, la producción de numerosos estudios y la publicación de antologías dedicadas a este género experimental. Esta canonización incluye su incorporación en los libros de texto gratuitos en los que se enseña a leer en la escuela elemental, y cuyos tirajes alcanzan varias decenas de millones de ejemplares.

Los escritores más jóvenes (2010)

La escritura de la mayor parte de los cuentistas más jóvenes coincide en su tono con la actitud post-apocalíptica del *crack*, que a su vez parece haber intensificado la actitud escéptica de la Generación de Medio Siglo. Pero si en aquéllos el mal era circunstancial, en los más jóvenes el Mal es consubstancial a la condición humana y no hay forma posible de escapar de él.

Precisamente, la colección editorial de Tierra Adentro es el espacio donde se ha dado a conocer de manera programáti-

La experimentación en el cuento mexicano

El concepto de literatura *experimental* es problemático. Agazapada en el término existe la noción de lo transitorio. Sin embargo, el poema en prosa y la escritura surrealista, por ejemplo, distan mucho de haber sido transitorios.

Para reconocer lo experimental es necesario reconocer lo convencional, tanto en las temáticas como en las técnicas de la escritura. Para ello, en lo que sigue voy a recurrir a un criterio parcialmente histórico y parcialmente genérico.[1]

La propuesta de análisis que quiero presentar en este apartado es la siguiente: en la evolución del cuento mexicano se dio una importante ruptura entre los temas y las técnicas dominantes en el cuento de las décadas de 1950 y 1960 (caracterizado por la tragedia y el melodrama) y el cuento de los periodos de entre 1970 y 1980 (representado por la comedia y la ironía). El momento central de esta transición es el comprendido entre los años 1967 y 1971.

El cuento mexicano de las décadas de 1950 y 1960 se caracterizó, en general, por ser una expresión de angustia existencial, desesperación, tedio, soledad y aislamiento introspectivo, y el realismo fue la técnica narrativa dominante.

---

[1] En lo que sigue he considerado los recuentos de bibliografía primaria y secundaria sobre cuento mexicano publicados en 1989 y 1997. Emmanuel Carballo: *Bibliografía del cuento mexicano del siglo XX*. México, *UNAM*, Coordinación de Difusión Cultural, Serie Textos, núm. 3, 1989; Russel M. Cluff: *Panorama crítico-bibliográfico del cuento mexicano (1950-1995)*. Tlaxcala, Universidad Autónoma de Tlaxcala, Serie Destino Arbitrario, núm. 15, 1997, 377 p.

Los escritores paradigmáticos de este periodo son Juan García Ponce, Sergio Galindo, Juan Vicente Melo, Inés Arredondo y Elena Garro.[2]

Como corolario de esta práctica de la escritura se puede mencionar que el cuento era entendido aún como un género menor y como preparación para la novela, y tal vez en parte por esta razón estos cuentos tendían a tener una extensión mayor a las diez páginas, casi en competencia con la novela corta.

En contraste con lo anterior, el cuento mexicano de las décadas de 1970 y 1980 se caracteriza por la experimentación con el lenguaje, el ejercicio de la parodia, la ironía y el humor, y el tratamiento casi periodístico de la cotidianeidad colectiva.

Este género es ahora una práctica de la escritura tan experimental en su diversidad como la poesía, pero con más lectores que la novela, tal vez debido a dos razones evidentes: la brevedad de su extensión (raramente rebasa las cinco páginas impresas) y su mimetismo (temático y técnico) con la escritura periodística y otros géneros igualmente cotidianos, como la escritura epistolar y el aforismo.[3]

Los antecedentes genéricos más importantes de estas formas de escritura en el cuento mexicano actual se encuentran en cuentistas tan diversos como Efrén Hernández y Julio Torri (en la década de 1950) y Salvador Elizondo y Augusto Monterroso (en la década de 1960). Aquí conviene detenerse

---

[2]Los estudios sistemáticos sobre la producción cuentística de estos autores todavía está por hacerse. Entre los primeros debe ser señalado el de Esther Avendaño-Chen: *Diálogo de voces en la narrativa de Inés Arredondo*. Culiacán, Difocur/Universidad de Occidente, 2000.

[3]Cf. Carlos Miranda Anaya: "El cuento en México a fines de los años 80", *La Jornada Semanal*, núm. 31, 14 de enero de 1990, pp. 37-39; Vicente Quirarte: "Los buenos herederos de Torri", en A. Pavón, comp. *Paquete: cuento. (La ficción en México)*. Tlaxcala, UAT/UAP/INBA, 1990, pp. 199-130; Ignacio Trejo Fuentes: "El cuento mexicano reciente: ¿hacia dónde vamos?", en A. Pavón, comp. *Paquete: cuento. (La ficción en México)*. Tlaxcala, UAT/UAP/INBA, 1990, pp. 181-190; Juan Villoro: "Pasaportes mexicanos", en *Hispamérica*, núm. 53-54, año XVIII, 1989, pp. 113-118.

perimental como la poesía, es quizá el mejor indicador de la capacidad imaginativa de nuestro lenguaje literario.

Cualquiera que sea el camino que sigan los nuevos escritores, el considerar a su trabajo como experimental dependerá, cada vez con mayor certidumbre, de los lentes que utilicemos para leerlos.

Pero además, en estos años también está en crisis el concepto mismo de crisis, lo cual nos lleva a hablar sobre la experiencia de vivir (individual y colectivamente) en una crisis permanente. Sin embargo, cuando todo es parte de la inestabilidad, el concepto de norma y el concepto de crisis (de esa norma) dejan de tener sentido.

A este permanente estado de incertidumbre, de simulacro y conjetura, lo llamamos posmodernidad. En otras palabras, el cuento mexicano moderno de la segunda mitad de los sesenta contiene la prefiguración del cuento mexicano posmoderno de la segunda mitad de los años 80.

La distancia de los 35 años transcurridos desde 1968, permite reconocer cuáles son los autores, libros y cuentos de carácter canónico producidos durante ese periodo, lo cual puede ser observado al estudiar su presencia en antologías, estudios, traducciones, tesis y homenajes.

Desde esta perspectiva, podría ser sencillo señalar la importancia de algunos títulos esenciales durante cada uno de estos años: *Narda o el verano*, de Salvador Elizondo; *Los climas*, de Sergio Pitol; *Las dualidades funestas*, de Edmundo Valadés (1966); *La conjura y otros cuentos*, de Juan de la Cabada; *La ley de Herodes*, de Jorge Ibargüengoitia; *No hay tal lugar*, de Sergio Pitol; *Los cuentos de Lilus Kikus*, de Elena Poniatowska (1967); *Una violeta de más*, de Francisco Tario; *Celina o los gatos*, de Julieta Campos; *Inventando que sueño*, de José Agustín (1968); *Hacia el fin del mundo*, de René Avilés Fabila; *El retrato de Zoe y otras mentiras*, de Salvador Elizondo; *Las cinco palabras*, de Ramón Rubín; *Infundios ejemplares*, de Sergio Golwarz; *La oveja negra y demás fábulas*, de Augusto Monterroso; *El viaje*, de Juan Manuel Torres; *El viento distante y otros relatos*, de José Emilio Pacheco; y *El apando*, de José Revueltas (1969).[12]

---

[12]Sergio Pitol: *Los climas*. México, Joaquín Mortiz, 1966; Edmundo Valadés: *Las dualidades funestas*. México, Joaquín Mortiz, 1966; Juan de la Cabada: *La conjura y otros cuentos*. México, Secretaría de Educación Pública, 1967; Jorge Ibargüengoitia: *La ley de Herodes*. México, Joaquín Mortiz, 1967; Sergio Pitol: *No hay*

También es necesario señalar que en 1966 se publicó en Buenos Aires *El cuento mexicano*, de Luis Leal,[13] un estudio panorámico donde se propone una evaluación general de la tradición iniciada después de la Revolución Mexicana.

Los volúmenes de cuento, publicados durante este periodo, tienen importancia por el proyecto que se desprende de cada uno de ellos, como es el humor desenfadado en *La ley de Herodes*, el impulso irónico en *Infundios ejemplares*, la integración de lo fantástico, el humor y la política en *Hacia el fin del mundo*, la ironía alegórica en *La oveja negra y demás fábulas*, la vocación estilística en *Retrato de Zoe y otras mentiras* o la experimentación con el lenguaje, las estrategias narrativas y la cultura popular en *Inventando que sueño*.

Un caso aparte son los cuentos de Sergio Pitol, cuyo proyecto literario constituye una sólida propuesta muy característica. Además de las numerosas antologías y reescrituras de sus propios cuentos y ensayos que este autor ha elaborado a lo largo de su carrera literaria, es notable la existencia de una creciente *Industria Pitol*, formada por la bibliografía crítica generada alrededor de su trabajo narrativo.[14]

tal lugar. México, Era, 1967; Elena Poniatowska: *Los cuentos de Lilus Kikus*. Xalapa, Universidad Veracruzana, 1967 (segunda edición aumentada); Francisco Tario: *Una violeta de más. Cuentos fantásticos*. México, Joaquín Mortiz, 1968; Julieta Campos: *Celina o los gatos*. México, Siglo XXI Editores, 1968; José Agustín: *Inventando que sueño*. México, Joaquín Mortiz, 1968; René Avilés Fabila: *Hacia el fin del mundo*. México, Fondo de Cultura Económica, 1969; Salvador Elizondo: *El retrato de Zoe y otras mentiras*. México, Joaquín Mortiz, 1969; Ramón Rubín: *Las cinco palabras*. México, Fondo de Cultura Económica, 1969; Sergio Golwarz: *Infundios ejemplares*. México, Fondo de Cultura Económica, 1969; Augusto Monterroso: *La oveja negra y demás fábulas*. México, Joaquín Mortiz, 1969; Juan Manuel Torres: *El viaje*. México, Joaquín Mortiz, 1969; José Emilio Pacheco: *El viento distante y otros relatos*. México, Era, 1969 (segunda edición aumentada); José Revueltas: *El apando*. México, Era, 1969.

[13]Luis Leal: *El cuento mexicano. De los orígenes al modernismo*. Buenos Aires, Ediciones de la Universidad de Buenos Aires (Eudeba), 1966.

[14]Tan sólo en los años recientes es necesario destacar la publicación de *Todos los cuentos*, en la editorial Alfaguara (1998, 347p.), con prólogo de Juan Villoro, así como los estudios de Alfonso Montelongo (*Vientres troqueles. La narrativa de Sergio Pitol*, Xalapa, Universidad Veracruzana, 1998, 186 p.); Renato Prada Oro-

Pero en lugar de una mera confirmación del canon, lo que se propone aquí es mostrar cómo la existencia de un grupo de cuentos publicados durante ese periodo anuncia una forma distinta de entender el género.

Como se ha comentado anteriormente, en el periodo 1966-1969 se publican, entre otros, cinco libros de cuento de carácter irónico que prefiguran los juegos literarios que serán puestos en práctica durante el periodo más importante del cuento posmoderno en México (1988-1990).

El cuento posmoderno en México

Antes de continuar es necesario ofrecer una definición operativa de lo que se puede entender por cuento posmoderno en México. El primero y el último de estos términos (*cuento mexicano*) contienen la clave para responder a esta pregunta, pues conviene adoptar una perspectiva que parte de nuestra propia tradición literaria. No interesa aquí la filosofía de Derrida, Deleuze, Baudrillard o Lyotard (y un largo etcétera francés)[15] ni

peza (*La narrativa de Sergio Pitol: los cuentos*, Xalapa, Universidad Veracruzana, 1996, 104 p.); Hugo Valdés Manríquez (*El laberinto cuentístico de Sergio Pitol*, Monterrey, Fondo Estatal para la Cultura y las Artes de Nuevo 1998, 216 p.); Maricruz Castro Ricalde (*Ficción, narración y polifonía. El universo narrativo de Sergio Pitol*, Toluca, Universidad Autónoma del Estado de México, 2000, 202 p.); Luz Fernández de Alba (*Del tañido al arte de la fuga. Una lectura crítica de Sergio Pitol*. México, Dirección de Literatura, Universidad Nacional Autónoma de México, 1998, 134 p.); Teresa García Díaz (*Del Tajín a Venecia: un regreso a ninguna parte*. Xalapa, Universidad Veracruzana, 2002, 261 p.), que es un estudio sobre *Juegos florales*; y la compilación de la editorial Era (*Sergio Pitol: Los territorios del viajero*. México, Era, 2000, 113 p.), que actualiza la elaborada por Eduardo Serrato en 1994 (*Tiempo cerrado, tiempo abierto. Sergio Pitol ante la crítica*. México, Era/UNAM, 271 p.) También en España se publicó la compilación preparada por Pedro M. Domene (*Sergio Pitol: El sueño de lo real*, número especial de la revista literaria *Batarro*, en Almería (Murcia), núms. 38-39-40, 2002, en coedición con la Universidad Veracruzana, 238 p.).

[15] Cf. Amalia Quevedo: *De Foucault a Derrida. Pasando fugazmente por Deleuze y Guattari. Lyotard, Baudrillard*. Pamplona, Ediciones de la Universidad de Navarra, 2001. Éste es el caso de Raymond Williams y Blanca Rodríguez en *La narrativa posmoderna en México*. Xalapa, Universidad Veracruzana, 2002.

tampoco importa lo que ocurre en la novela canadiense metaficcional (a partir de los estudios sobre la nueva novela histórica de Linda Hutcheon)[16] ni menos aún las reflexiones sobre la
novela europea (en los trabajos de Brian McHale o Christopher
Nash)[17] o la novela norteamericana (en los estudios de Mark
Currie o Steve Connor).[18]

En su lugar, es necesario partir de un modelo que tenga
alcances más amplios. La producción simbólica posmoderna
(en México y en cualquier otro ámbito cultural) consiste en
la presencia paradójica, en un mismo texto, de elementos de la
tradición clásica (que siempre es única y estable) y elementos de las vanguardias y las formas de ruptura frente a esta
tradición (la siempre múltiple *tradición de ruptura*, en palabras de Octavio Paz).[19] Esta yuxtaposición produce textos de
naturaleza estructuralmente paradójica, definida en términos
de un reciclaje irónico. Se trata de lo que podríamos llamar
una combinatoria lúdica de tradiciones literarias.[20]

Esta yuxtaposición produce fragmentación del tiempo narrativo, construcción de espacios virtuales, auto-ironía de la
voz narrativa, empleo lúdico del lenguaje, hibridación de convenciones genéricas, carnavalización de estrategias intertex-
tuales y simulacro de epifanía.[21]

[16]Linda Hutcheon: *A Poetics of Postmodernism. History, Theory, Fiction*. London, Routledge, 1988.

[17]Mark Currie: *Postmodern Narrative Theory*. New York, St martin's Press, 1998; Christopher Nash: *World Games. The Tradition of Anti-Realist Revolt*. London, Methuen, 1987.

[18]Brian McHale: *Postmodernist Fiction*. London, Routledge, 1987.

[19]Octavio Paz: "La tradición de la ruptura", en *Los hijos del limo. Del romanticis-mo a la vanguardia*. Barcelona, Seix Barral, 1974, pp.13-35.

[20]Luis Leal: "El cuento mexicano: del posmodernismo a la posmodernidad", en *Te lo cuento otra vez (La ficción en México)*. Edición de Alfredo Pavón. Tlaxcala, Universidad Autónoma de Tlaxcala, 1991, p. 32. Para el caso de la arquitectura, véase el trabajo seminal de Charles Jencks: *The Language of Postmodern Archi-tecture*. New York, Rizzoli, 1991 (1977).

[21]Esta propuesta la presento de manera sistemática en "El cuento clásico, moder-no y posmoderno (Elementos narrativos y estrategias textuales)", incluido en *Cuento y figura. (La ficción en México)*. Edición de Alfredo Pavón. Tlaxcala, Uni-versidad Autónoma de Tlaxcala, 1999, pp. 51-62. Y también la he utilizado pa-

explicar el lenguaje utilizado o para hacer acotaciones a la historia.[28]

A lo anterior es necesario añadir recursos tipográficos como el empleo de mayúsculas para enfatizar términos particulares, distribución espacial próxima a la poesía o a las letras de canciones populares, comentarios autorales en forma de apartes propios del teatro experimental, paréntesis metaficcionales, señalizaciones gráficas, recursos cinematográficos y numerosas alusiones a Julio Cortázar, Macedonio Fernández, Juan Rulfo, Alfred Hitchcock y otros escritores, músicos y cineastas.

Tan sólo los diversos nombres que recibe Oliveira, el baterista del que se enamora Raquel, constituye un sistema lúdico de referencias múltiples: Oliveira, Olivista, Oliconoli, Oliverista, Oliqué, Olidictador, Oliclaus, Olivitas, Oliveto, Olilúbrico, Olejo, Oliveiras, Olivín, Olito, Olivinho, Oli, Olifiero, Olichondo, Cuasimudo.

Los juegos del lenguaje se convertirán en el elemento central en los cuentos experimentales de *Niñoserías* (1989), de Dante Medina[29] y en la apuesta lúdica de *Las vocales malditas* (1988), de Óscar de la Borbolla.[30] En el primer caso, todas las funciones gramaticales son alteradas en cada línea, de tal manera que cada frase se vuelve polisémica y se juega constantemente con la ambigüedad semántica y sintáctica hasta el grado de proponer construcciones deliberadamente absurdas, pero no por ello menos lúdicas. Y en *Las vocales malditas*, el virtuosismo verbal está emparentado no sólo con los

---

[28]Glosa al texto de Joel Dávila: "Tres cuentos mexicanos, tres" en *Paquete: cuento. (La ficción en México)*, ed. Alfredo Pavón. Tlaxcala, Universidad Autónoma de Tlaxcala, 1989, p. 152.

[29]Dante Medina: *Niñoserías*. México, Alianza Editorial Mexicana, 1989.

[30]Óscar de la Borbolla: *Las vocales malditas*. México, edición original de autor, 1988. Este libro también se publicó en Joaquín Mortiz (1991) y recientemente ha sido editado por Nueva Imagen en la llamada Biblioteca Óscar de la Borbolla (2001).

lipogramas de Raymond Queneau y el colectivo Oulipo,[31] sino sobre todo con el humor absurdo de Alfred Jarry y Enrique Jardiel Poncela[32] y con las tesis que sostiene la antipsiquiatría acerca de la locura.[33]

Prefiguración de los juegos con los orígenes de clase en *Borracho no vale* (1988), de Emiliano Pérez Cruz y *Las damas primero* (1990), de Guadalupe Loaeza.

En "Cuál es la onda" aparece constantemente la alusión a los orígenes de clase de los protagonistas:

> *Pero cómo que no eres rica, eso sí me alarma, preguntó*
> *Oliveira después de que ella confesó que*
> *lo de los ocho hermanos no era mentira y que, ay, se llamaban*
> *Euclevio, alma fuerte,*
> *Simbrosio, corazón de roca,*
> *Everio, poeta deportista,*
> *Leporino, negro pero noble,*
> *Ruto, buen cuerpo,*
> *Ano, pásame la sal,*
> *Hermenegasto, el imponente,*

[31] Warren F. Motte, Jr.: Oulipo. *A Primer of Potential Literature*. Norman, Dalkey Archive Press, 1998.

[32] Enrique Jardiel Poncela: *Para leer mientras sube el ascensor*. México, Editora Latinoamericana, 1996.

[33] Véase este fragmento de "Los locos somos otro cosmos", insólito en la historia del cuento mexicano: —No, doctor. No —sopló ronco Rodolfo—. Los shocks no son modos. Los locos no somos pollos. Los shocks son como hornos; son potros con motor, sonoros como coros o como cornos... No, doctor Otto, los shocks no son forzosos, son sólo poco costosos, son lo cómodo, lo no moroso, lo pronto... Doctor, los locos sólo somos otro cosmos, con otros otoños, con otro sol. No somos lo morboso; sólo somos lo otro, lo no ortodoxo. Otro horóscopo nos tocó, otro polvo nos formó los ojos, como formó los olmos o los osos o los chopos o los hongos. Todos somos colonos, sólo colonos. Nosotros somos los locos, otros son loros, otros, topos o zoólogos o, como vosotros, ontólogos. Yo no los compongo con shocks, no los troncho, no los rompo, no los normo... Óscar de la Borbolla: *Las vocales malditas*. México, Nueva Imagen, 2001 (1988), pp. 49-49.

y
ella,
Requelle.[34]

En *Borracho no vale* (1988), de Emiliano Pérez Cruz, se utiliza un lenguaje que parece haber caracterizado el habla cotidiana de una zona geográfica y social del Estado de México, identificada con Ciudad Nezahualcóyotl.[35] Por su parte, en *Primero las damas* (1990), Guadalupe Loaeza presenta el habla y las preocupaciones políticas de la clase media alta ilustrada, la que vive en las zonas más exclusivas de Las Lomas, Polanco, San Jerónimo y Santa Fe, y ello se hace precisamente desde la perspectiva de una voz femenina que sin ninguna ambigüedad asume el nombre de Guadalupe.[36]

La oveja negra y demás fábulas (1969) de Augusto Monterroso

La oveja negra y demás fábulas (1969), de Augusto Monterroso, como prefiguración de los juegos con el sentido común, en *La lenta furia* (1989), de Fabio Morábito, y *Cuaderno imaginario* (1990), de Guillermo Samperio.

Las formas de la ironía que caracterizan a las fábulas de Augusto Monterroso siempre parecen desafiar la glosa. Es suficiente señalar que por su propia decisión, es considerado como cuentista mexicano (sin dejar de ser hondureño-guatemalteco) desde la publicación de su *Obras completas (y otros cuentos)* en 1959.[37]

---

[34]José Agustín: "Cuál es la Onda", en *Inventando que sueño*. México, Joaquín Mortiz, 1967, p. 67.

[35]Emiliano Pérez Cruz: *Borracho no vale*. México, SEP/INBA/DDF/UAM/Plaza y Valdés, 1988.

[36]Guadalupe Loaeza: *Primero las damas*. México, Cal y Arena, 1990.

[37]Augusto Monterroso: *Obras completas (y otros cuentos)*. México, Imprenta Universitaria, 1959.

El alejamiento de las convenciones y la dificultad para asimilar su escritura en una sola tradición literaria permiten leerlo como un antecedente inmediato de otros escritores igualmente inclasificables, evidentemente próximos a la escritura de la poesía.

> *En un lejano país existió hace muchos años una oveja negra.*
> *Fue fusilada.*
> *Un siglo después, el rebaño arrepentido le levantó una estatua ecuestre que quedó muy bien en el parque.*
> *Así, en lo sucesivo, cada vez que aparecían ovejas negras eran rápidamente pasadas por las armas para que las futuras generaciones de ovejas comunes y corrientes pudieran ejercitarse también en la escultura.*[38]

Aquí, el ejercicio literario consiste, simplemente, en proponer una vuelta de tuerca inesperada a la fábula convencional. Su contenido es absurdo desde la perspectiva del sentido común, pero responde a la lógica de la naturaleza igualmente absurda de la realidad hispanoamericana (de hecho, México es el país donde hay más esculturas ecuestres *per cápita*).[39]

El *Cuaderno imaginario* (1990), de Guillermo Samperio,[40] pertenece a esta misma estirpe de libros irrepetibles. El erotismo de sus breves textos convoca imágenes sorprendentes de naturaleza inclasificable. Y *La lenta furia* (1988), del poeta Fabio Morábito,[41] propone narraciones donde lo absurdo aparece de la manera más natural, como cuando las madres se cuelgan de los árboles esperando que pase un hombre distraído para caer sobre él y desarmarlo con sus deseos eróticos irrefrenables.

---

[38] Augusto Monterroso: "La oveja negra", en *La oveja negra y demás fábulas*. México, Seix Barral, 1983, p. 23.

[39] Esto lo confirma el estudio de Néstor García Canclini: "Monuments, Billboards, and Grafitti", en Helen Escobedo y Paolo Gori: *Mexican Monuments: Strange Encounters*. New York, Abbeville Press, 1989.

[40] Guillermo Samperio: *Cuaderno imaginario*. México, Diana, 1990.

[41] Fabio Morábito: "Las madres", en *La lenta furia*. México, Vuelta, 1990, pp. 11-13.

Tendencias del cuento contemporáneo

En el contexto de la crítica literaria, los estudios especializados sobre narrativa posmoderna en América Latina se han producido durante los últimos diez años. Sin embargo, los antecedentes de esta narrativa se empezaron a gestar desde mediados de la década de 1960, es decir, hace casi cuarenta años.

En las líneas que siguen parto del supuesto de que el estudio de la narrativa producida durante este periodo requiere la creación de modelos y categorías teóricas propios para dar cuenta de su especificidad histórica y cultural. En particular pienso en el hecho de que hasta el momento se ha privilegiado el empleo del modelo conceptual propuesto por la canadiense Linda Hutcheon (específicamente su idea de "metaficción historiográfica" como lo más característico de la narrativa posmoderna)[53] y el modelo del inglés Brian McHale (en particular su concepto de "ruptura ontológica").[54]

La razón para la insuficiencia de estos modelos sólo es evidente al estudiar la narrativa hispanoamericana de manera integral, es decir, al incluir no sólo a la novela, sino también la narrativa cuentística producida durante este periodo.

---

[53]Linda Hutcheon: *A Poetics of Postmodernism. History, Theory, Fiction.* New York and London, Routledge, 1988.
[54]Brian McHale: "Telling Postmodernist Stories", en *Constructing Postmodernism.* New York and London, Routledge, 1992, pp. 19-41.

En otras palabras, si se toma en cuenta únicamente a la producción novelística, es posible reconocer la existencia de varias obras importantes para las cuales estos modelos tienen pertinencia. En el contexto mexicano, entre los ejemplos más importantes de metaficción historiográfica producidos durante los últimos treinta años se encuentran las novelas *Morirás lejos* (1967), de José Emilio Pacheco; *Cambio de piel* (1967), *Terra Nostra* (1975) y *Cristóbal Nonato* (1987), de Carlos Fuentes; *José Trigo* (1976), *Palinuro de México* (1977) y *Noticias del Imperio* (1987), de Fernando del Paso; *Éste era un gato* (1987), de Luis Arturo Ramos; *El desfile del amor* (1984), *Domar a la divina garza* (1988) y *La vida conyugal* (1991), de Sergio Pitol; *Una piñata llena de memoria* (1984), de Daniel Leyva; *A la salud de la serpiente* (1993), de Gustavo Sainz; *Son vacas, somos puercos* (1991) y *La milagrosa* (1993), de Carmen Boullosa; *El gran elector* (1993), de Ignacio Solares; y *El dedo de oro* (1996), de Guillermo Sheridan.

A su vez, el modelo de Linda Hutcheon ha sido retomado en numerosos estudios, como es el caso de Rosalía Cornejo-Parriegá,[55] Amalia Pulgarín[56] y muchos otros para el análisis de la novela de metaficción historiográfica.

Si bien es cierto que el debate entre modernidad y posmodernidad ha sido desplazado por el debate entre posmodernidad y poscolonialismo,[57] también es importante señalar la pertinencia de deslindar entre las características de la novela y lo que ocurre en el cuento, pues se trata de una historia con diferencias relevantes para entender la evolución de la historia literaria en esta región.

---

[55] Rosalía Cornejo-Parriegá: *La escritura posmoderna del poder*. Madrid, Espiral Hispanoamericana, 1993.

[56] Amalia Pulgarín: *Metaficción historiográfica. La novela histórica en la narrativa hispánica posmodernista*. Madrid, Espiral Hispanoamericana, 1995.

[57] Ellen Spielmann: "El descentramiento de lo posmoderno", en *Revista Iberoamericana*, vol. *XII*, núms. 176-177, julio-diciembre 1996, pp. 941-952.

Un modelo para el estudio del cuento posmoderno

Al estudiar los principales trabajos sobre la narrativa posmoderna se observa una tendencia a marginar al cuento y dedicar toda la atención a la novela, y a tratar a algunos libros de cuento como si fueran novelas. Sin embargo, el cuento tiene una existencia y una especificidad que deben ser reconocidas.

Por ejemplo, debe observarse que existen muy escasos cuentos caracterizados por metaficción historiográfica en la narrativa hispanoamericana. A lo largo del siglo XX se podrían mencionar "La fiesta brava" (1970), de José Emilio Pacheco; "Recortes de prensa" (1982), de Julio Cortázar; y "Pruebas de imprenta" (1972), de Rodolfo Walsh, ninguno de los cuales fue escrito durante la última década.

Las características que podemos reconocer en numerosos cuentos escritos durante los últimos 30 años pueden ser agrupadas alrededor de los diversos planos de verosimilitud narrativa, como otros tantos juegos con las condiciones de posibilidad del sentido literario. En todos estos planos (lógico, semántico, ideológico y discursivo) es posible reconocer un *sistema de paradojas* al que podríamos llamar *itinerancia textual*, ya que está construido a partir de la pregunta común: ¿existe otro tiempo y otro lugar y puede ser narrado con otras perspectivas y otras voces? La construcción de diversos textos a partir de esta pregunta genera lo que podríamos denominar *cronotopos itinerantes* en el interior de cada texto, cuyo reconocimiento depende de las competencias discursivas de cada lector.

El cuento posmoderno se caracteriza por los siguientes elementos, en los planos de la verosimilitud lógica, semántica, ideológica y genérica:

Verosimilitud lógica (es decir, las condiciones de posibilidad de verdades necesarias y posibles). En este contexto, la característica dominante en el cuento posmoderno es la paradoja. Estos textos se caracterizan por su intertextualidad (alusión, parodia, pastiche, simulacros, etcétera), porque lo marginal pasa a ocupar un lugar central (minorías lingüísticas, religiosas, geográficas, eróticas, políticas, etcétera) y por la metaficción (el texto tematiza o actualiza sus condiciones de posibilidad, como el acto de leer o de escribir).

Verosimilitud semántica (o las condiciones de posibilidad del sentido). En este contexto, la característica principal en el cuento posmoderno es la incertidumbre, es decir, la existencia de una intención irrelevante por parte del autor. Este mecanismo se manifiesta por la presencia de la ironía suspensiva (dirigida hacia algo indeterminado) y los juegos del lenguaje.

Verosimilitud ideológica (las condiciones de posibilidad de las visiones del mundo). En este sentido, los cuentos posmodernos tienen como característica la presencia de diversas formas de la ambigüedad, que se manifiestan por una carnavalización de la historia oficial; la disolución de las fronteras culturales entre lo erudito y lo popular, y una politización de lo cotidiano (simultánea a una erotización de lo político).

Verosimilitud genérica (es decir, las condiciones de posibilidad de las reglas de verosimilitud). En esta línea, los cuentos posmodernos son una escritura liminal, es decir, ubicada en el entrecruce de diversas fronteras, lo cual da lugar a una hibridación de géneros de la escritura, a la presencia del testimonio, la crónica y la oralidad, y a una brevedad extrema.

A partir de los elementos señalados, es posible reconocer la existencia de al menos tres características mínimas comunes al cuento posmoderno mexicano producido durante las últimas tres décadas: **la brevedad extrema**, **la hibridación genérica** y **la ironía suspensiva**.

Veamos algunos de los autores más característicos del cuento con rasgos posmodernos durante el periodo comprendido entre la segunda mitad de la década de 1960 y la segunda mitad de la década de 1980.

Los primeros cuentos posmodernos en México, 1967-1989

Es precisamente durante este periodo, y muy especialmente en los años comprendidos entre 1967 y 1971, cuando se empiezan a publicar colecciones de cuentos con características radicalmente diferentes de la producción cuentística de las décadas anteriores. Tal vez el rasgo más importante es la presencia de diversas formas de la ironía y el humor, notoriamente ausentes (como distintivo dominante) en las generaciones anteriores. Baste recordar a Jorge Ibargüengoitia, Rosario Castellanos, René Avilés Fabila, Augusto Monterroso y Sergio Golwarz.

La escritura del cuento ultracorto tiene una larga tradición en México. Entre sus cultivadores habría que mencionar a Julio Torri (autor paradigmáticamente moderno), Juan José Arreola (considerado por Luis Leal como el último escritor moderno y el primero de los cuentistas posmodernos en México) y Augusto Monterroso (sin duda el autor que más ha cultivado la ironía suspensiva en el cuento escrito en México).

Ya en 1970 el cuentista René Avilés Fabila publicó en el *Boletín* de la Comunidad Latinoamericana de Escritores una "Antología del cuento breve en México en el siglo xx".[58] En esta antología reunió textos ultracortos de cuentistas modernos como Sergio Golwarz, Edmundo Valadés y Ricardo Garibay (en todos los cuales hay una preocupación por el final epifánico y por la consistencia genérica). Pero también inclu-

---

[58]René Avilés Fabila, comp.: "Antología del cuento breve del siglo *XX* en México". México, Comunidad Latinoamericana de Escritores, *Boletín*, núm. 7, 1970, pp. 1-21.

yó cuentistas con rasgos claramente posmodernos, como Salvador Elizondo (cuya metaficcionalidad surge de una intertextualidad erudita), José Agustín (cuyas heterotopías llevan a la disolución de fronteras culturales) y José Joaquín Blanco, que lleva la complejidad del monólogo interior a una extensión que no rebasa las 200 palabras. Aquí se podrían mencionar cuentos tan laberínticos como "El grafógrafo" de Salvador Elizondo; el regocijante "Cómo te quedó el ojo (querido Gervasio)", de José Agustín; y las parábolas paródicas de José Emilio Pacheco.

Más tarde, durante la década de 1970 y 1980 se publican algunos cuentos en los que estas características son exploradas de manera episódica en textos ultracortos incluidos en colecciones de cuentos de corte relativamente más tradicional. Éste es el caso, por ejemplo, de las secciones marginales en *De noche vienes* (1979), de Elena Poniatowska; *Sólo los sueños y los deseos son inmortales, Palomita* (1986), de Edmundo Valadés; *La sangre de Medusa y otos cuentos marginales* (1990), de José Emilio Pacheco; y *Cuaderno imaginario* (1990), de Guillermo Samperio.

Tal vez el texto más excepcional de este periodo, por lo incisivo de su experimentación con los límites posibles del lenguaje, es *Léérere* (1986) de Dante Medina, donde los juegos sintácticos producen textos prácticamente intraducibles.

A partir de los elementos señalados es posible reconocer al menos tres tipos de cuentos posmodernos escritos en México durante los últimos diez años. Estos cuentos son *súbitos*, *vertiginosos* o *ultracortos* (por su extensión y su tensión estructural), y simultáneamente *fronterizos* y *lúdicos*. Veamos brevemente algunos ejemplos de cada una de estas tendencias en la escritura posmoderna del cuento en México, durante el periodo comprendido entre 1987 y 2000.

HUMOR, IRONÍA Y METAFICCIÓN

Humor e ironía en el
cuento mexicano contemporáneo

Tratar sobre el humor y la ironía en el cuento mexicano contemporáneo requiere establecer una distinción entre estos dos conceptos, reconocer los antecedentes más importantes de la tradición humorística en el cuento nacional, estudiar los trabajos más recientes sobre el género en nuestro país, y detenerse en la lectura de algunos cuentistas sobresalientes, con el fin de definir los rasgos de la escritura contemporánea en este campo.

El objetivo de este capítulo es ofrecer algunas reflexiones sobre los más importantes humoristas e ironistas del cuento mexicano contemporáneo, y señalar algunos de los problemas de investigación planteados por el estudio de esta producción literaria.

El cuento mexicano, 1979–1988

Al intentar ofrecer una visión del cuento mexicano durante los últimos años, conviene recordar que existen muy pocos trabajos que ofrezcan una visión panorámica de este género en nuestro país, y todos ellos se detienen antes de 1970.[60]

---

[60]Entre los estudios más recientes: Luis Leal: "El nuevo cuento mexicano", en E. Pupo-Walker, comp.:*El cuento hispanoamericano ante la crítica*. Madrid, Castalia, 1973, pp. 280-295; Bertie Acker: *El cuento mexicano contemporáneo*. Rulfo, Arreola y Fuentes. Madrid, Playor, 1984; Dolores M. Koch: "El microrelato en

Los estudios panorámicos sobre cuento y novela llegan hasta 1980.[61] Aunque existen ya numerosos análisis sobre determinados cuentistas, la historia más reciente del cuento mexicano está fechada hace más de 30 años.[62] Lo más próximo a una visión panorámica del cuento contemporáneo lo ofrecen las antologías de narradores, entre las que se pueden mencionar las recopiladas, respectivamente, por Gustavo Sáinz, Angel Flores, Roberto Bravo y Joel Dávila, a lo largo de esta década.[63]

Entre los cuentistas que surgieron en las décadas anteriores a la de 1980 y que han seguido cultivando el humor y la ironía se pueden contar a Augusto Monterroso (*La palabra mágica*, 1983), María Luisa Mendoza (*Ojos de papel volando*, 1985), María Elvira Bermúdez (*Encono de hormigas*, 1986), José Agustín (*No hay censura*, 1988), Vicente Leñero (*Puros cuentos*, 1986), Pepe Martínez de la Vega (*Aventuras del detective Peter Pérez*, 1987) y René Avilés Fabila (*Fantasías en*

México: Torri, Arreola, Monterroso", en Merlín H. Foster y J. Ortega, comps.: *De la crónica a la nueva narrativa mexicana*. México, Oasis, 1986, pp. 161-177.

[61] J. Ann Duncan: *Voices, Visions, and New Reality. Mexican Fiction Since 1970*. University of Pittsburg Press, Pittsburg, 1986; José Joaquín Blanco: "Aguafuertes de narrativa mexicana, 1950-1980", *Nexos*, agosto 1982, pp. 23-40; y Emmanuel Carballo: "Las letras mexicanas de 1960 a 1981", *El Gallo Ilustrado* (suplemento cultural de *El Día*), núm. 1000, 16 de agosto 1981, pp. 4-9.

[62] Luis Leal: *Breve historia del cuento mexicano*. México, Ediciones de Andrea, 1956.

[63] Gustavo Sáinz, comp.: *Jaula de palabras. Una antología de la nueva narrativa mexicana*. México, Grijalbo, 1980; Roberto Bravo, comp.: *Itinerario inicial. (La joven narrativa de México)*. Tuxtla Gutiérrez, Universidad Autónoma de Chiapas, 1985; Angel Flores, comp.: *Narrativa hispanoamericana 1816-1981. Historia y antología*, vol. 6: *La generación de 1939 en adelante*. México, Siglo XXI Editores, 1985: Joel Dávila Gutiérrez, comp.: *Del pasado reciente. Selección de cuento mexicano contemporáneo*. México, Premiá, Serie La Red de Jonás, 1989. Las antologías generales más recientes del cuento mexicano (M. C. Millán, 1976; G. Sáinz, 1982; J. E. Cortés, 1985; y E. Carballo, 1988), por su propia naturaleza, conceden poco espacio a los cuentistas más jóvenes. Lo mismo ocurre con las antologías monográficas dedicadas al cuento policiaco (M. E. Bermúdez), fantástico (C. Rábago Palafox), político (G. Martré; M. A.Campos y A. Toledo), regional (L. Leal, G. Cornejo), chicano (Bruce-Novoa), escrito por mujeres (M. C. Millán), urbano (P. G. Cruz y C. Aldama), sobre la muerte, etcétera.

—¿*Dices que el gobierno nos ayudará, profesor? ¿Tú co-
noces al gobierno?*
Les dije que sí.
—*También nosotros lo conocemos. Da esa casualidad.
De lo que no sabemos nada es de la madre del gobierno.*[72]

Finalmente, en 1958 se publica el primer libro de cuentos
de una de las más interesantes mujeres cuentistas de este pe-
ríodo: *Tiene la noche un árbol*, de Guadalupe Dueñas, que
contiene textos también memorables, como "La timidez de
Armando", "El correo" y "Prueba de inteligencia". Ocho años
después publicó su colección *No moriré del todo*, que contiene el relato del mismo nombre.

En 1954 Carlos Fuentes publicó *Los días enmascarados*, en
el que se incluye "En defensa de la trigolobia", una incisiva
parodia del lenguaje de la burocracia internacional, escrita en
plena guerra fría. En este cuento, la Trigolibia significa indis-
tintamente el "Mundo Libre" y el "Socialismo", pues en cierto momento ambos discursos son intercambiables. Además
de explicar la Declaración de los Trigolibios del Hombre, se
recuerdan los principios del Padre de la Trigolibia, Trigolibín.

La década de los sesenta se caracteriza, en general, por la
escritura de cuentistas intimistas y muy poco afectos al humor, como Juan García Ponce, José de la Colina, Sergio Pitol,
Elena Garro, Inés Arredondo, Salvador Elizondo y José Revueltas. En este contexto, ofrece un refrescante contraste la
publicación de *Hacia el fin del mundo* (1967), el primer libro
de cuentos de René Avilés Fabila, quien en los siguientes
veinte años ha publicado otros nueve libros de este género.
En todos ellos, Avilés Fabila alterna el humor con las historias
de amor, la imaginación fantástica y un permanente interés
por la política y la palabra impresa.[73]

---

[72]Fragmento de "Luvina", en *El llano en llamas*, de Juan Rulfo (cf. la edición anotada, en Cátedra, 1987, p. 127).
[73]Recientemente, Nueva Imagen ha publicado el total de las *Obras Completas* de
René Avilés Fabila en su colección Grandes Autores.

Es precisamente en este momento cuando el humor empieza a ocupar un lugar más preponderante dentro del cuento mexicano, y es también cuando el mismo género comienza a llegar a una relativamente mayor audiencia que antes y a lograr un mayor efecto en la misma sociedad civil.

Entre 1967 y 1971, con intervalos de dos años, se publican tres libros imprescindibles para la historia de la ironía en el cuento mexicano: *La ley de Herodes*, de Jorge Ibargüengoitia; *La oveja negra y demás fábulas*, de Augusto Monterroso; y *Álbum de familia*, de Rosario Castellanos. En este último se incluye el relato "Lección de cocina", tal vez el más divertido y a la vez más serio texto que se haya escrito en México sobre la condición de la mujer en el matrimonio tradicional.

Monterroso, por su parte, es el cuentista mexicano (si bien, nacido en Honduras y considerado como guatemalteco) sobre el que se ha escrito más que sobre cualquier otro, con la evidente excepción de Rulfo, y es, sin duda, el autor de cuentos irónicos más leído en la historia de nuestra narrativa. Los cuentos de Jorge Ibargüengoitia han recibido menos atención crítica que sus novelas, a pesar de lo cual sigue siendo un cuentista muy leído.

También en estos años se publica *El viento distante*, de José Emilio Pacheco, cuentista de una ironía existencial, próximo, en algunos de sus relatos, a lo grotesco, a lo fantástico y a la literatura del absurdo. Y Sergio Golwarz publica sus *Infundios ejemplares*, colección de parodias, glosas, ejercicios de estilo, viñetas, paráfrasis y guiños al lector, caracterizados por una deliberada y programáticamente creciente economía de recursos, que lo llevan a concluir su libro con el relato titulado "Dios", y que dice, simplemente: "Dios".

En 1968, año axial para nuestra historia reciente, se publicó por primera vez el relato "Cuál es la onda", de José Agustín, incluido en su libro de cuentos *Inventando que sueño*. En este relato, como ya se ha mencionado, el humor es el producto de una peculiar combinación de juegos de palabras y juegos tipográficos, alusiones al mundo de la literatura, la música y la política, parodia, heteroglosia, autoironía y una recurrente interpelación al lector. Se trata, entonces, de un festival de recursos técnicos (en forma de *pastiche* de las novelas de Cortázar), como una especie de pirotecnia verbal al servicio de una peculiar visión del rock, la literatura y el amor.

En la década de los setenta se publicó la *Enciclopedia de latinoamericana omnisciencia*, de Federico Arana, desparpajada y personalísima visión de nuestra idiosincrasia cultural y política, escrita en relatos de un humor aparentemente ingenuo y claramente barroco. Y entre las mujeres cuentistas de este periodo, se encuentran Margo Glantz (*Las mil y una calorías*) y Elena Poniatowska (*De noche vienes*), con dos tipos de humor muy distintos entre sí: lúdico y compasivo, respectivamente; siempre desde una perspectiva evidentemente femenina, y con una gran preocupación por mostrar las paradojas de la vida cotidiana.

El humor y la ironía (paréntesis teórico)

Al estudiar el humor y la ironía en la narrativa es necesario partir del reconocimiento de que hay muchas formas de ironía, además de la más común, llamada en ocasiones ironía *verbal*, en la que el narrador tiene la intención de que el lector entienda lo opuesto al sentido literal. De hecho, todas las formas de la ironía –y ésta podría ser una definición general– consisten en la presencia simultánea de dos puntos de vista opuestos. El humor, por su parte, carece de una intencionalidad específica, por lo que tiene más proximidad con lo absurdo, lo gratuito y lo inesperado.[74]

Es muy frecuente encontrar en los cuentistas considerados como irónicos la llamada ironía del *narrador*, que ocurre

---

[74]Para una discusión más detenida sobre la naturaleza de la ironía narrativa, cf. Mi libro *Humor, ironía y lectura*. México, UAM Xochimilco, 1993.

cuando éste y el personaje sostienen puntos de vista opuestos, o cuando lo que hace un personaje contradice lo que el narrador afirma de él. Esto es lo que Wayne Booth llamó un "narrador poco confiable".[75]

Por otra parte, la ironía *del destino* es otra forma de la ironía, y consiste en la presencia de una contradicción entre lo que ocurre a los personajes y lo que era deseable o esperado por ellos. La *ironía cósmica* o *metafísica* radica en tomar conciencia del hecho de que el hombre, a pesar de todos sus esfuerzos, está inevitablemente condenado a morir, y la ironía *situacional* es el producto de reconocer la existencia de una situación contrastante o marcadamente incongruente dentro del universo narrativo.

A lo anterior pueden añadirse el *sarcasmo*, es decir, una afirmación amarga mezclada con un tono de broma, y la parodia, como imitación de las convenciones narrativas de un canon genérico o estilístico.

La naturaleza de la ironía exige al lector el reconocimiento de ciertas convenciones de tipo lógico, lingüístico o genérico, es decir, el reconocimiento de determinadas convenciones semánticas, retóricas o estructurales.

Pero más allá de estos problemas técnicos, lo que interesa en el estudio de la ironía narrativa es la ambigüedad ética y estética que se encuentra en todo texto irónico, y que la distingue del humor. Mientras el humor ofrece una visión del mundo en la que se muestra alguna incongruencia, la ironía asume esta contradicción en la estructura misma del texto, expresándola en forma igualmente paradójica.

La ironía narrativa no constituye un juicio moral acerca del mundo, pero quien le da forma y quien la lee se ven ante la posibilidad de optar por una u otra visión del mundo, o

---

[75]Cf. Esp. el cap. 12 de su *Retórica de la ficción*, "El precio de la narrativa impersonal, II: Henry James y el narrador no fidedigno", pp. 321-354. Barcelona, Antoni Bosch, ed., 1978 (ed. Or.: The Chicago University Press, 1961).

bien por reconocer la misma fragmentación e imperfección de este mundo narrativo.

Si reconocemos que el humor adopta los mismos recursos técnicos ya mencionados para definir a la ironía, esto nos lleva a preguntarnos: ¿es la ironía una forma del humor o puede establecerse una distinción clara entre ambos?

Para responder a esta pregunta conviene recordar que el humor, al ser un acto lúdico, no posee ningún fin externo a sí mismo. Por ello, todo texto irreductiblemente multivalente es "esencialmente humorístico".[76] El humor, al ser gratuito, es relativamente anárquico y en ese sentido "escapa a las reglas de la economía social o lingüística".[77]

Así, para considerar a un texto humorístico como irónico es suficiente con reconocerle una intención crítica, una verdad, una utilidad cualquiera. A esto lo podríamos llamar, con Candace Lang, una *reductio ad rationem* del humor, en favor de la ironía y a cargo del lector. En todos los casos, la distinción entre humor e ironía podría establecerse en la frontera que separa libertad y razón, polisemia e interpretación, placer y verosimilitud.

La ironía es entonces la forma más completa del escepticismo, y por ello, es un producto de la razón: es un acto intencional, que significa el reconocimiento de una paradoja. El humor, en cambio, es el producto de la libertad que significa poder jugar con las incongruencias del mundo, con las palabras, las reglas y las convenciones. En una palabra, mientras la ironía es la expresión de un desencanto, el humor es un ejercicio de la imaginación.

---

[76]Candace D. Lang: "Irony/Humor:Assessing French and American Cultural Trends", en *Boundary 2. A Journal of Postmodern Literature*, vol. X, no. 3, Spring 1982, State University of New York at Binghampton, pp. 271-302, esp. p. 276.
[77]*Ibid.*, p. 277.

Lectura de nueve cuentistas contemporáneos

A continuación me detendré a comentar brevemente las características generales de la obra de algunos cuentistas que juegan con el humor y la ironía, entre los nuevos escritores mexicanos que han publicado su obra a partir de 1979.[78] Ellos son: Alejandro Rossi, Hugo Hiriart, Guillermo Samperio, Bárbara Jacobs, Agustín Mosreal, Juan Villoro, Lazlo Moussong, Manuel Mejía Valera y Emiliano Pérez Cruz.

Alejandro Rossi es tal vez el mejor representante del nuevo cuento mexicano, precisamente como cuentista en el sentido más tradicional. Rossi nació en Italia (1932) y desde hace muchos años vive en México, donde ha escrito su obra literaria. Su *Manual del distraído* (1979) reúne relatos, sorpresas, minucias, residuos y protestas radicalmente personales: relatos de la historia familiar contados con el fin de mostrar su irrelevancia; sorpresas descritas con el orgullo de un coleccionista resignado; minucias cotidianas observadas con sarcasmo por artistas y escritores; residuos de investigaciones más sistemáticas sobre filosofía o sobre el lenguaje; protestas por el empleo de un término anacrónico o por lo excesivo de ciertas explicaciones. Algunos textos se balancean indecisos entre la anécdota y la epistemología ("Por varias razones") o entre el cuento y las disquisiciones sobre el proceso de escribir un cuento ("Un preceptor" y "Sin sujeto").

El autor nos toma el pelo justo al hacer explícitas sus trampas, pues esta extrema honestidad nos mantiene desarmados. Sus confesiones de súbita descalificación de sí mismo al final de una compleja disertación son un gesto de suprema arrogancia, la de quien simula sus dudas en una retórica que traiciona sus orígenes escolásticos y se divierte ante su propia falta de obviedad.

---

[78]Con la excepción de Guillermo Samperio, que empezó a publicar libros de cuentos desde 1974, pero que pertenece a la generación de escritores nacidos después de 1945 y, más importante aún, cuya escritura ha mostrado una apreciable evolución temática y formal en los últimos años.

Esta coexistencia de elementos diferentes es también característica de sus libros de relatos: *El cielo de Sotero* (1987), que a su vez contiene los cuentos de *Sueños de Occam*, y *La fábula de las regiones* (1988). En el primero, la descripción de lo inmediato y el tratamiento de lo cotidiano con imágenes originales y ausencia de metáforas, donde la anécdota se resuelve con la vaguedad de la incertidumbre, muestran a un verdadero escéptico, inteligente y lúdico. Basta leer "Un café con Gorrondona" o el fragmentario "Diario de guerra" para comprobar su declarado gusto por el juego, la moral, la amistad "y, sobre todo, por la literatura".

La *fábula de las regiones* contiene tres relatos en los que se propone una mitología particular acerca del enfrentamiento entre la Nación y las Regiones. En este espacio narrativo, los conjurados, generales y sobrevivientes de misteriosos levantamientos populares recuerdan a sus héroes, mártires y benefactores con desprecio por los historiadores oficiales.

En esta fábula memoriosa, más irónica ante la arrogancia del centralismo que deliberadamente visionaria, los protagonistas creen en la Patria, sin por ello aspirar a comprenderla.

Leer la prosa de Rossi significa correr el riesgo de instalarse en un mundo enrarecido, donde todo es visto desde una perspectiva extrañamente distante, con el leve asombro que convierte en aventura irrepetible el simple acto de cruzar una calle o visitar el consultorio de un dentista. Cada libro de Rossi es, como el descrito por uno de sus personajes, "un libro acumulativo, desordenado que, sin embargo, deja una incómoda sensación de inmensidad".

Hugo Hiriart (1942) en *Disertación sobre las telarañas y otros escritos* (1980) ha cristalizado un género difícilmente repetible, a medio camino entre el ensayo, el poema en prosa, la erudición historiográfica y el relato mitológico. Su fórmula de escritura, como la de un alquimista, consiste en dar más peso en cada texto a cada uno de estos ingredientes, y así discurrir lúdicamente sobre las cosas y los animales, los filósofos y los locos, los oficios y las percepciones del mundo inmediato. ¿Cómo definir una escritura en la que interesan lo mismo la anfibología de la gelatina que la arqueología del papalote, una taxonomía de los instructivos o la utilidad de los jardines?

Estos textos someten lo próximo a un examen a la vez riguroso y sorprendente, por lo que lo trivial se ve sujeto a sufrir las metamorfosis de una escritura permanentemente inquisitiva, que diserta con el único fin de maravillarnos por un instante ante lo que consideramos como natural (sea la osamenta de una rana o la textura de una madeja) o como nuestra herencia cultural (sea la prosa de Stevenson o la imaginación de historiador de Plinio el Viejo). En estos textos, el autor busca el sentido de una épica, lo que no es otra cosa que una búsqueda puramente estética. Elige para ello los extremos: lo más próximo o lo más antiguo, lo más recóndito o lo más estrafalario, y a todo ello lo trata con la misma elegancia de un relojero que trabaja con mecanismos cuya única finalidad es el placer de la minuciosidad.

Basta detenerse un momento sobre uno de estos textos para ver cómo funciona este complejo mecanismo literario. Uno de sus trabajos más redondos es, precisamente, "Sobre el huevo". En esta disertación se llega a interesantes conclusiones de carácter metafísico (la gallina es anterior al huevo como equilibrio de la caída libre detenida en una cáscara), psicológico (el huevo como espera objetivada, "el Godot de los seres") y semántico (el huevo entre la onomatopeya y la duda).

La gratuidad de esta colección de 36 disertaciones-relatos llega a su mayor grado de perfección al tratar sobre la telaraña, esa "red perfecta, osamenta de la armonía, frágil restauración de la sensatez o unos cuantos hilos tejidos por la mano de los dioses", y que recuerda en su ingeniosidad lo dicho en otra parte del mismo libro sobre la gelatina: "detenida entre el sólido y el líquido (...), monstruo remiso al vaso y a la cuchara e indócil al modelado y a la caricia, perdurable vuelo de acróbata, Babel de la solidez, hueso alimenticio y baile de máscaras, es la histeria de las construcciones".

de ellos, de no decir lo que se espera de una situación cualquiera, y cuestionar el sentido común con las armas de la literatura. Esta visión cuidadosa de lo que, en nuestra prisa, pasamos por alto, produce visiones interiores, súbitas epifanías mientras pasa una nube, imágenes soñadas de lo que podría haber ocurrido.

Se trata de un mundo introspectivo, ordenado por complicidades afectivas, donde la presencia de los argumentos –impecablemente construido– provoca su efecto como resultado de aplicar su rigurosidad a lo que sabemos de antemano que es una certera intuición.

Agustín Monsreal (1941), en *La banda de los enanos calvos* (1986), exhibe una incisiva preocupación por la actividad del escritor: sus dudas, contradicciones, necesidades y obsesiones, y por la indiferencia que existe en los demás hacia su actividad. Sus textos son ocasional y deliberadamente digresivos, pero tienen la necesaria disciplina que exige la brevedad.

El empleo de fórmulas disertativas se hace en un tono paródico, con el fin de decir lo más serio con absoluta desfachatez, con el empleo de metáforas del habla cotidiana. A su vez, lo más familiar e inmediato es convertido en objeto de una reflexión generalmente iracunda ante la realidad cosmética que ofrece la publicidad, ante la posibilidad de que el cinismo se convierta en el signo de nuestra identidad nacional, frente a la indiferencia colectiva hacia el analfabetismo, ante las sutiles formas de prepotencia del hombre sobre la mujer o ante la corrupción en el empleo de la palabra "pueblo".

Lo más característico de Monsreal no es sólo su rabia ocasional, sino también su defensa de aquello que le entrega sus secretos, como la vieja ciudad de Mérida, a la que ofrece una descripción estática, como una amada siempre accesible y dispuesta a confortarnos, siempre que se mantenga fiel a sí misma.

Juan Villoro (1956) reunió en *La noche navegable* (1980) una serie de relatos de adolescentes de clase media, aficionados al fútbol y a andar en patineta, eternamente vestidos con tenis y sudadera, cuya mayor proeza es jugar en la bañera o descubrir la manera de besar como adultos.

Estos personajes se ven aquí transformados en protagonistas de epifanías imaginarias en las que alguien que viaja a Estados Unidos "lo único que hace es hablar de su novia y los nopales", y en las que viven con "una permanente sensación de estar al final de algo grandioso", pero cuyas aventuras se reducen a pedir una leche malteada gigante "y llena de espuma" (en "El verano y sus mosquitos").

El título de libro alude al cuento del mismo nombre, en cuyo final las manos de la protagonista avanzan despacio hacia el cuello de su novio "como un barco de vela que desaparece en la oscuridad cargado de pan, de miel, de flechas y de ánforas de vino".

Al año siguiente de publicar su segundo libro, *Albercas* (1985), publicó *Tiempo transcurrido*, con el subtítulo de *Crónicas imaginarias*. Se trata, explica el autor, de "imaginar historias a partir de ciertos episodios reales y de un puñado de canciones", con un relato para cada año en el lapso que va de 1968 a 1985. A pesar de ser una crónica panorámica de estos años. El resultado es un libro ligero y con personajes cuyas aventuras muestran los efectos del rock en toda una generación. Entre estos relatos destaca el de la cantante de rock guadalupano (precisamente Madonna de Guadalupe), que ofrecía conciertos frente a la Basílica y cuyo clímax consistía en que los músicos la acariciaban sobre el escenario, mientras ella arrojaba al público hostias multicolores (en "1983"). O la historia de Rocío: en una época en que los gustos musicales se polarizaban, la chava indefinida, asediada por todos, seguía siendo incapaz de articular algo más allá de un rotundo "o sea...".

El humor de Villoro es, por la proximidad que muestra con sus personajes, una manera de ejercitar la autocrítica, y forma parte de la búsqueda de una identidad *compartida*, lo que es ya, de por sí, un rasgo generacional.

labras, por lo que oscilan entre la minificción (menos de 200 palabras) y el cuento corto.

Las formas de la ironía más empleadas son el *sarcasmo* (E. Pérez Cruz, G. Masso, I. Betancourt, F. León) y la *parodia* (H. Hiriart, L. Moussong, M. M. Valera, A. Rossi) o la adopción de una perspectiva original –una mirada crítica– sobre las paradojas de la vida cotidana urbana (G. Samperio, J. Villoro, A. Monsreal, P. I. Taibo II y R. Pérez Gay).

En todos ellos hay una tensión estructural específica, que exige una escritura necesariamente breve, sea el producto de la coexistencia de dos líneas narrativas superpuestas o de visiones contrapuestas de un mismo universo moral (Monsreal), ideológico (Pérez Cruz), filosófico (Rossi) o estético (Derbez), cuya resolución no necesariamente se encuentra en las últimas líneas, o al menos no de manera conclusiva.

Todos estos cuentistas continúan una tradición literaria en el ejercicio del *humor* al combinarlo con elementos de erotismo y política, y en el ejercicio de la *ironía* en su reflexión sobre la literatura, el lenguaje y las convenciones morales, estilísticas o genéricas, cuestionadas gracias al ejercicio de la *parodia*.

Estas nuevas formas de escritura invitan a discurrir nuevas formas de lectura, es decir, una innovadora concepción de los géneros, precisamente con la participación activa y creativa del lector. De ahí el empleo del humor y la ironía, donde el lector tiene la última palabra, pues de él depende, entre otras cosas, que un texto humorístico sea leído como irónico.

Podemos concluir estas observaciones afirmando que el nuevo cuento mexicano, especialmente aquel en el que se manifiesta el humor y la ironía y que por ello se resiste a continuar las tradiciones del relato original y del relato psicológico, dominantes durante las tres décadas anteriores, es un encuentro apreciablemente lúdico y no sólo experimental.

Se trata, en una palabra, de una escritura vital que alterna el erotismo, la imaginación y la memoria de nuestra historia inmediata con la reflexión sobre la escritura, el testimonio de

nuestras jornadas urbanas y el registro de los terremotos ín-
timos y colectivos. Al hacerlo, y al tomar su escritura con la
suficiente seriedad como para recordar la importancia que
tienen el juego, el humor y la ironía, en estos textos se nutre
simultáneamente la capacidad de asombro y la capacidad de
indignación de sus lectores.

Humor e ironía en el cuento urbano

El humor como estrategia de escritura urbana

Durante el periodo comprendido entre 1975 y 1999, la ciudad de México ha sufrido numerosas transformaciones. Tal vez la más notable, aquella que parece incluir a las demás, consiste en su atomización, es decir, en el hecho de que esta metrópoli se ha convertido en un conglomerado cada vez más informe e inabarcable de numerosas ciudades, todas ellas aglutinadas en el espacio de lo que se ha llegado a llamar, sin ningún eufemismo, la creciente *mancha urbana*.

A pesar de la actual división formal de la ciudad de México en delegaciones políticas, la fragmentación que permite reconocer zonas de homogeneidad cultural se encuentra en lo que en algún momento se bautizó con el peculiar nombre de *colonias*. Cada una de estas áreas tiene una extensión que generalmente no rebasa las diez o doce calles, como puede observarse al estudiar un mapa de la ciudad. Pero lo realmente sorprendente para un observador atento es que en algunas de estas zonas se conserva una particular unidad de lenguaje, acompañada de costumbres, ritmos y paisajes urbanos que no sólo son distintivos, sino que han llegado a generar una tradición literaria propia.

En este apartado muestro algunas tendencias de la narrativa breve producida en la ciudad de México durante estos 25 años, en particular en los textos en los que se escribe em-

pleando el humor, la ironía y la parodia. A través de estos recursos literarios los escritores ofrecen una visión crítica, familiar y verosímil de la vida urbana en la que es posible reconocer las dimensiones más conflictivas de una cotidianidad
contradictoria.[79]

Los elementos distintivos de esta escritura incluyen la hibridación de la narrativa literaria con la crónica urbana, el
empleo de un lenguaje característico de zonas precisas de la
ciudad, la experimentación con las convenciones de la narrativa fantástica y policíaca, y una reversión de la relación tradicional entre la casa y la calle.

Un provincianismo cosmopolita

Podemos comenzar este recorrido mostrando algunos ejemplos de ternura, humor y lirismo dedicados a los espacios urbanos más entrañables para diversos narradores del interior
del país.

Como prueba de que no todo lo urbano es necesariamente problemático, y de la capacidad de algunos escritores para reconocer la dimensión específica de su lugar de
origen, veamos a continuación algunos ejemplos. Agustín

---

[79]Tan sólo durante los últimos doce años del siglo XX se han publicado media do-
cena de antologías del relato urbano en México: Emmanuel Carballo y José
Luis Martínez, comps.: *Páginas sobre la ciudad de México, 1467-1987*. México,
Consejo de la Crónica de la Ciudad de México, 1988, 414 p.; Paulo Gregorio
Cruz y César Aldama, comps.: *Los cimientos del cielo. Antología del cuento de la
Ciudad de México*. México, Plaza y Valdés, 1988, 514 p.; Carlos Martínez Rentería, comp.: *Érase una vez en el D. F. Crónicas, testimonios, entrevistas y relatos
urbanos de fin de milenio*. México, Gobierno de la Ciudad de México, 1999; David Miklós, comp.: *Una ciudad mejor que ésta. Antología de nuevos narradores
mexicanos*. México, Tusquets, 1999; Leobardo Saravia Quiroz, comp.: *En la línea de fuego. Relatos policiacos de frontera*. México, Fondo Editorial Tierra
Adentro, núm. 4, 1990; Guillermo Samperio, comp.: *Vueltas de tuerca. Cuentos
de escritores politécnicos*. México, Ediciones del Ermitaño/Minimalia/Instituto
Politécnico Nacional, 1998.

Monsreal habla así de la ciudad de Mérida y sus cambios más recientes:

> *Qué linda cuando está desnuda, cuando se nos ofrece recién bañada, cuando amanece sin tantos humos en la cabeza (...) Es fácil enamorarse de ella sin remedio, llevarla en el alma como una cicatriz luminosa, amarla para siempre. Porque además de sus encantos y misterios es alegre y sabia, musical, pequeña y cálida, coqueta y púdica a la vez, como toda muchacha que se sabe hermosa.*
>
> *(...) Lástima que a medida que crece se deje estropear por los dictados soeces de la moda; lástima que le dé por los adornos imbéciles, por la cosmetología corruptora; lástima que se despoje de su esencia y se aplique a copiar modos ajenos que sólo la emperjuician de amaneramientos y superficialidad.*
>
> *(...) Y porque así como la amé desde el primer día que tuve conciencia de ella, idéntico habré de seguirla amando hasta el último de mis días.*[80]

Por su parte, Luis Humberto Crosthwaite nos explica cómo fue el origen del cosmos en "Por qué Tijuana es el centro del universo":

> *¿Girarán en realidad las otras ciudades, los otros países, el mundo, el sol, los planetas, alrededor de Tijuana? ¿Habrá surgido la vida, Adán y Eva, el Big Bang, Darwin, Matusalén, de esta famosa y con frecuencia vituperada ciudad fronteriza?*
>
> *Bastante se ha escrito en este respecto y a la mano, para confirmar la presente teoría, tengo un libro escrito por el renombrado intelectual Juan Villoro, en donde se analiza*

---

[80] Agustín Monsreal: *La banda de los enanos calvos*. México, Lecturas Mexicanas, Segunda Serie, núm. 83, Secretaría de Educación Pública, 1986, pp. 39-40.

el posible origen del cosmos en la frontera más visitada del planeta.

Por supuesto, Villoro lo ubica "millones y millones de años atrás", en un tiempo remoto anterior al panismo, a las maquiladoras y a los teléfonos públicos Ladatel. Si acaso existía la avenida Revolución y las calles circunvecinas, si acaso se hallaba la Calle Segunda con sus piñatas, sus abejas y su sempiterno Cine Piojito, en ese tiempo lejano sin habitantes, sin vida, sin luz.

(…) Aparecen los perros, los policías, la demagogia y se hace la luz –continúa Villoro–. Alguien enciende el switch, y el sol comienza a girar alrededor de Tijuana apareciendo por primera vez junto al Cerro Colorado (…)[81]

Rafa Saavedra es aún más explícito, y concluye así su recorrido por el perfil cultural de la ciudad, en "Tijuana para principiantes":

Mi city no es solamente una calle llena de gringos estúpidos viviendo un eterno verano e indios bicolores que venden flores de papel (…) Mi city es una chica de ahora, deseo y pasión desbordante (…)

Mi city es una jaula de ilusiones llena de espejos, poetas de la mendicidad y aspirantes a pop stars (…)

Mi city tiene (…) intelectuales y punkies reciclados resistiéndose a morir. Arte popular en el Cecut, tiendas exclusivas en Las Torres. Cafés y video bares (…) Calles llenas de baches y antenas parabólicas en casas de cartón (…) Carritos de hotdogs, juniors prepotentes, skaters adolescentes por todos lados (…)

Mi city es un punto libre y un aparte sin censura, un rincón lleno de contrastes y esperanzas, mosaico de posi-

---

[81] Luis Humberto Crosthwaite: *No quiero escribir no quiero*. Toluca, Ediciones del Ayuntamiento de Toluca, 1993, pp. 75-77.

bilidades y frente en alto; es un desfile de marcas no re-
gistradas y logos de neón, de cadenas y franquicias; de
personas y sentidos en dolby stereo, de luchas y de inten-
tos, de sueños en technicolor y realidades cotidianas
(...)[82]

Esta enumeración aspira a retratar la totalidad de un espacio reconocible en sus fragmentos, precisamente en el momento en que Tijuana es percibida por muchos observadores
como un símbolo paradigmático de la posmodernidad urbana (Vaquera, 1988).

Estos narradores no están aislados en su interés por com-
binar el empleo del humor y la crónica urbana. Entre ellos
podemos mencionar a Dante Medina y Martha Cerda en
Guadalajara, Francisco José Amparán en Torreón y Juan Ro-
sales en Ciudad Juárez. Éstos y otros narradores muestran
rasgos de escritura que encontramos también en los cuentos
de quienes escriben en el centro del país. Veamos a continuación algunos ejemplos de estas formas de narrativa urbana
en el cuento escrito en la ciudad de México.

Algunas raíces textuales

El humor como estrategia de escritura en las crónicas y cuentos urbanos tiene muy valiosos antecedentes en México. Ya
en las primeras prosas breves de Salvador Novo escritas en
las décadas de 1920, 1930 y 1940 hay un desparpajo inge-
nioso y moderno: "Los billetes de alta denominación de diez
mil pesos condescienden a convivir con los de un peso, mos-
ca".[83] Algo similar se puede decir de Alfonso Reyes, cuyo humor es más jocundo y despreocupado; véanse como ejemplo

[82] Rafa Saavedra: *Buten Smileys*. Tijuana, Yoremito/CNCA/Centro Cultural Tijuana,
1997, p. 77.
[83] Salvador Novo: *Nueva grandeza mexicana. Ensayo sobre la ciudad de México y sus*
alrededores en 1946. México, CNCA, 1999, p. 26.

los títulos de un par de relatos urbanos de 1931: "Por qué ya no colecciono sonrisas", seguido de "Por qué ahora colecciono miradas".[84] En un texto de 1959 concluye en estos términos su descripción de los trabajadores que recogen la basura urbana:

> *Allá va, calle arriba, el carro alegórico de la mañana, juntando las reliquias del mundo para comenzar otro día. Allá, escoba en ristre, van los Caballeros de la Basura. Suena la campana del viático. Deberíamos arrodillarnos todos.*[85]

A su vez, en la narrativa historietística de *La Familia Burrón* se narra la crónica de un estilo de vida cotidiana en la que todavía la red familiar es el centro disfrutable y solidario de las relaciones sociales.

A principios de la década de 1950 surge otro antecedente directo de la narrativa humorística contemporánea: las parodias de cuentos policiacos de Pepe Martínez de la Vega. Su protagonista es el detective Peter Pérez, el cual llegó a ser una presencia radiofónica muy popular en su momento. Este personaje es capaz de resolver problemas con el estómago vacío, a cambio de una taza de atole y una torta de tamal, echando mano de su experiencia como habitante de la zona más pobre de la ciudad de México, Peralvillo y Anexas. Por ejemplo, el clásico enigma de la narrativa policíaca conocido como el Misterio del Cuarto Cerrado (donde se comete un crimen en una habitación sin haber forzado la cerradura), Peter Pérez lo resuelve a partir de su familiaridad con las condiciones de supervivencia urbana: el criminal entró a la habitación porque los dueños de la casa, por ser demasiado po-

---

[84]Alfonso Reyes: *Mitología del año que acaba. Memoria, fábula, ficción*. México, Colección Popular Ciudad de México, 1990. Selección de Adolfo Castañón, p. 95.

[85]*Op. cit.*, p. 102.

bres, nunca tuvieron recursos suficientes para construir el respectivo techo.[86]

Las conocidas crónicas en forma de relatos cortos de Jorge Ibargüengoitia (escritas entre 1968 y 1976) siguen teniendo una sorprendente vitalidad en la última década del siglo, lo cual ha merecido que sean reunidas en varios volúmenes con los materiales que en su momento fueron publicados en la prensa diaria. El humor de Ibargüengoitia, especialmente en los cuentos de *La ley de Herodes* (1967),[87] muestra una sorpresa permanente ante las catástrofes de nuestra peculiar idiosincracia urbana. En la serie de artículos que lleva como título "Los misterios del Distrito Federal" discurre acerca de diversos asuntos de interés cotidiano:

> *Hay misterios que me gustan mucho. Por ejemplo, hay veces que me pongo a pensar quién será el encargado de las banquetas de mi rumbo. Trato de imaginar qué aspecto tendrá, qué pensará, qué libros le interesarán, a qué dedicará sus ratos de ocio. Es un hombre muy original. Todo me hace suponer que ha partido del concepto funcional de que se logre, con muy poco esfuerzo (un aguacero o una criada regando), un espejo de agua que dure un mes, en el que, si la gente no fuera tan salvaje, se podrían echar truchas o lirios salvajes.[88]*

Uno de los cuentos más representativos de la historia literaria de la ciudad de México es el ya citado "Cuál es la On-

---

[86]José Martínez de la Vega: *Peter Pérez, detective de Peralvillo y anexas*. Compilación de Vicente Francisco Torres. México, Joaquín Mortiz, 1993 (1952).

[87]Jorge Ibargüengoitia: *La ley de Herodes*. México, Joaquín Mortiz, 1967.

[88]Jorge Ibargüengoitia: *La casa de usted y otros viajes*. México, Joaquín Mortiz, 1991, p. 127. También pueden encontrarse otras crónicas irónicas sobre la cotidianidad urbana en sus otras compilaciones publicadas hasta ahora: *Autopsias rápidas*. México, Vuelta, 1988; *Viajes en la América ignota*. México, Joaquín Mortiz, 1988; (1972); *Instrucciones para vivir en México*. México, Joaquín Mortiz, 1990; *Sálvese quien pueda*. México, Joaquín Mortiz, 1993 (1975); *¿Olvida usted su equipaje?* México, Joaquín Mortiz, 1997; *Ideas en venta*. México, Joaquín Mortiz, 1997; *Misterios de la vida diaria*. México, Joaquín Mortiz, 1997.

da", de José Agustín (publicado en 1967), donde se dirige una fuerte crítica a la retórica de la demagogia oficial. Antes de concluir su recorrido nocturno por la ciudad, los personajes centrales de este relato, Raquel y Oliveira, suben a un taxi, cuyo conductor declara su visión personal acerca del programa radiofónico de La Hora Nacional:

> *No, si a mí no tampoco me aburre, es cosa buena, lo que pasa es que uno oye toda esa habladera de quel progreso es cosa buena y quel progreso y lestabilidad y el peligro comunista en todas partes, porque a poco no es cierto que a uno lo cansan con toda esa habladera. En los periódicos y en el radio y en la tele y hasta en los excusados, perdone usted señorita, dicen eso. A veces como que late que no ha de ser tan cierto si tienen que repetirlo tanto.*[89]

Esta visión crítica no sólo era parte integral del clima cultural hacia fines de la década de 1960, sino que estableció una forma de narrar, casi periodística, que fue adoptada por toda una generación de escritores urbanos. En contraste con el intimismo lastimero y nostálgico dominante en las décadas anteriores, los cuentistas mexicanos que empezaron a escribir en esta época iniciaron una tradición más crítica y propositiva, cuya estrategia natural de escritura se caracteriza por una ironía que apela a la complicidad de sus lectores.

Cruzando la frontera literaria

Nuestra historia, sin embargo, se inicia en la segunda mitad de la década de 1970, cuando el estilo, el género y la velocidad de la escritura sufren un cambio notable.

---

[89] José Agustín: "Cuál es la onda", en *Inventando que sueño*. México, Joaquín Mortiz, 1967, p. 75.

—*No, señorita, de su perra.*
—*Yo no tengo perra, señor, sino gato.*
—*Hablo de la perra de mi mujer, señorita.*
—*Ay sí, es cierto. ¿Cómo se llama?*
—*Me llamo Erdocio, señorita. Pero todo el mundo me conoce por mi alias de "El Erdo"* (...)[99]

En "El caló como acto de justicia", Lazlo Moussong muestra la riqueza subtextual del argot utilizado por la policía urbana. Veamos un fragmento de la exploración lexical que hace el narrador, después de que un policía da instrucciones a otro para continuar un interrogatorio:

—*Ponle el tambor a ver si toca la corneta y si los mariachis callan, fíjalo en radiomil* (pégale en el estómago a ver si así habla, y si no lo hace, aplícale la picana eléctrica).

Confieso que no dejó de sorprenderme la manera tan particular en que los agentes manifestaban su legítima disidencia con los postulados de nuestro régimen constitucional, por lo que pregunté:

—*¿Y a este ex-presidente por qué lo proyectas?* (¿y a este caído en desgracia por qué lo investigas?)
—*Es que lo agarramos en plena familia revolucionaria y ahora se pone a explicarnos la inflación* (es que pertenece a una banda de rateros y ahora se la pasa diciéndonos mentiras) (...)[100]

Emiliano Pérez Cruz utiliza el lenguaje urbano característico de Ciudad Nezahualcóyotl, la zona urbana más densa-

---

[99]Rafael Bullé-Goyri: *Bodega de minucias*. Xalapa, Universidad Veracruzana, 1996, p. 145.
[100]Lazlo Moussong: *Castillos en la letra*. Xalapa, Universidad Veracruzana, 1986, p. 151.

mente poblada y con mayor extensión en el mundo. En "Recordar es volver a gatear", *de Borracho no vale, se* puede observar el ingenio del idiolecto de Neza:

> *No cabe duda, compañebrios: todavía tengo pegue con las chavalas. Ya hacía el restorán que no iba ai pa las Lomas a comprar piedróricos viejos y cuando se me ocurrió, papas: luego luego ligué una gatígrafa. Me acuerdo que cuando estaba chavalón sí acostumbraba gatear, y vieran que no lo hacía tan mal. Pa no hacérselas cardiaca, ai tienen quiba con mi carrito por los Montes Apalaches cuando vi a una gordita y le dije si no vendía piedrórico. Pa pronto me trajo un tambache y como no queriendo la cosa hice plática. Pucha, después ni quien la parara: me dijo que se llamaba Felipa, pero pa los cuates Lipa, y que tiene familiares ai por ciudá Neza y que aluego minvitaba a su terruño, allá por los llanos de Apam: que los caldos de oso están chiras pelas, y que yo bañadito, rasurado y con unos buenos tiliches, la haría gacha. "Usté cree, Lipa?", le dije, y ella nomás se sonreía y órale, pésele bien, no sea cácaro (...).*[101]

En estos relatos es posible reconocer las huellas de la migración del campo a la ciudad, las formas de interacción en las que se mezcla el trabajo y el erotismo, y la diversidad de ocupaciones características de las zonas económicamente marginales.

Los relatos de Emiliano Pérez Cruz, a medio camino entre la crónica y el cuento, forman parte de un conjunto de relatos producidos por escritores que han registrado con una dosis de humor, ironía y precisión, una cotidianidad hasta entonces marginada también de la narrativa urbana. Éste es el caso de Armando Ramírez (cronista de Tepito en el centro de la ciudad de México), José Joaquín Blanco, Hermann Be-

[101] Emiliano Pérez Cruz: *Borracho no vale*. México, Plaza y Valdés, 1988, p. 29.

llinghausen y un largo etcétera que ya mereció una primera compilación con el título *El fin de la nostalgia*[102] y más recientemente la creación de una colección de crónicas urbanas publicada por el Consejo Nacional para la Cultura y las Artes bajo el sencillo título de *Periodismo Cultural*.

Por supuesto, algunos de estos cronistas han merecido estudios especializados en los que se muestra su riqueza literaria y los alcances estéticos e ideológicos de éstos y otros escritores de prosa breve en México.[103]

Una ciudad atomizada

Los narradores mexicanos contemporáneos parecen reconocer que la ciudad de México es muchas ciudades, y por ello han optado por narrar la cotidianidad urbana en ámbitos muy específicos. En el fondo, se trata de un reconocimiento de que cada espacio urbano tiene su propio lenguaje, por lo que el escritor debe dar cuenta de una estética, un paisaje, unos personajes y un universo narrativos específicos de la zona en la que está escribiendo.

Cada uno de los escritores seleccionados ofrece un testimonio particular de nuestra forma de vivir y morir en la

[102]Jaime Valverde y Juan Domingo Argüelles, comp.: *El fin de la nostalgia. Nueva crónica de la ciudad de México*. Prólogo de Carlos Monsiváis. México, Nueva Imagen, 1992.

[103]Linda Egan: *"Lo marginal en el centro": Las crónicas de Carlos Monsiváis. Tesis doctoral*, University of California, Santa Barbara, 1993; "El 'descronicamiento' de la realidad (El macho mundo mimético, en Ignacio Trejo Fuentes", en *Vivir del cuento (La ficción en México)*. Tlaxcala, Universidad Autónoma de Tlaxcala (UAT), 1995, pp. 143-170; Gerardo De la Torre: "Periodismo cultural: palabras en juego", en *Memoria de papel. Crónicas de la cultura en México*, núm. 10, 1994, pp. 5-35; Carlos Monsiváis: "De la Santa Doctrina al Espíritu Público (sobre las funciones de la crónica en México)" en *Nueva Revista de Filología Hispánica*, núm. 35, El Colegio de México, 1987; "Apocalipsis y utopías", en *La Jornada Semanal*, núm. 213, 4 de abril de 1999, pp. 3-5.

ciudad de México durante los últimos años del milenio. A cada uno de ellos corresponde una de las múltiples zonas que conforman el conglomerado que llamamos ciudad de México: Ciudad Neza (Emiliano Pérez Cruz), el Centro Histórico (Guillermo Samperio), la colonia Condesa (Luis Miguel Aguilar), la colonia Roma (Ignacio Trejo Fuentes), la colonia Peralvillo (Pepe Martínez de la Vega), la colonia Obrera (Paco Ignacio Taibo II) y la Ciudad Universitaria (Guillermo Sheridan).

En el paradigmático texto "Oh, aquella mujer!", de Guillermo Samperio, encontramos el retrato de uno de los personajes más característicos de las oficinas de gobierno del Centro Histórico de la ciudad de México, aunque es probable que a los habitantes de cualquier otra región los rasgos que aquí se retratan les resulten igualmente familiares:

> *La mujer que nos ocupa la nostalgia podría llamarse, con el debido respeto y sin pretender significados ocultos, La Mujer Mamazota. Es mamazota de buena fe y por gracia de su casta. De buena fe porque ella va decididamente al encuentro del piropo mexicano por excelencia, ¡Adiós, mamazota!, el cual se pronuncia con franqueza y energía. Le encanta que se lo lancen mediando cualquier distancia y se lo pongan en el trasero.*
>
> *(…) Sobre sus zapatos de tacón alto de distintos vistosos colores se para, camina y contonea la portadora de tantos y tan justos primores, haciéndose realidad el piropo más profundo de la muy noble y leal ciudad de México.*
>
> *(…) En el transcurso de la charla sus labios modularán pucheros sensuales, sonrisas infantiles, mordeduras accidentales y adjetivos grandilocuentes. Sus manos tocarán al excitado interlocutor en el hombro en plan de íntima confesión, en el brazo luego de una ocurrencia humorística, en los muslos en plan de chisme sexual, hasta que naturalmente termina por quitarle las motitas del*

protagonista son narrados con una notable distancia crítica ante la tradición intimista típica de la primera mitad del siglo XX. En estos relatos resulta evidente que los conflictos son provocados por las convenciones de una ciudad donde las mujeres han estado relegadas a roles subalternos.

Por otra parte, pocas narradoras han explorado el mundo interior de las mujeres de manera consistente y con sentido del humor como Elena Poniatowska. En "De noche vienes" observamos el interrogatorio ante el Ministerio Público de una mujer que durante siete años vivió casada con cinco hombres distintos sin que ninguno de ellos sospechara cuál era su situación. La aparente indiferencia irónica del agente del Ministerio Público resulta evidente desde el inicio del relato:

—*Pero usted, ¿no sufre?*
—*¿Yo?*
—*Sí, usted.*
—*A veces, un poquito, cuando me aprietan los zapatos...*
—*Me refiero a su situación, señora —acentuó el señora, lo dejó caer hasta el fondo del infierno: se-ño-ra— y lo que de ella puede derivarse. ¿No padece por ella?*
—*No.*
(...)
—*¿Se sometió usted al examen ginecológico con el médico legista?*
—*No, ¿por qué? —protestó García— si no se trata de un caso de violación.*
—*Ah, sí, de veras, a los que habría que someter es a ellos —rió el agente manoteando vulgarmente.*[108]

En la narrativa urbana también hay muestras de humor negro, como es el caso de Francisco Hinojosa, quien ejercita esta vena incluso en sus muy populares relatos para niños, como *La señora más fea del mundo*. En "Nunca en domingo"

[108]Elena Poniatowska: *De noche vienes*. México, Era, 1979, pp. 149-151.

(que forma parte de un género creado por él mismo, y que consiste en escribir un cuento en forma de novela en cien brevísimos capítulos) encontramos un tono más paródico que periodístico, como parte de la tradición urbana de género negro.[109] Se trata de crímenes ligados al tedio y a la rutina de la vida urbana, relatados con el cinismo de un narrador indolente. La tradición del género negro ya forma parte de nuestra identidad urbana, como síntoma de una violencia soterrada, siempre a punto de salir a la superficie. La ironía en estos relatos congela nuestra sonrisa en un rictus de escepticismo... similar al que nos resulta tan familiar cuando nos encontramos con nuestros vecinos.

La tradición de los bestiarios urbanos

Algunos subgéneros del cuento literario son tradicionalmente urbanos, como el relato policiaco y la ciencia ficción. En las antologías respectivas es posible encontrar bestiarios urbanos, ficciones sociales y profecías políticas.

Veamos tres ejemplos de narraciones fantásticas y de ciencia ficción contemporánea, cada una de las cuales es una alegoría de nuestra condición urbana.

El dedo de oro, de Guillermo Sheridan, es una novela de ciencia ficción política sobre la sucesión presidencial en México. El capítulo "Depende" puede ser leído como un cuento autónomo. He aquí un fragmento, que da una idea de los laberintos kafkianos de la burocracia mexicana y el clima cotidiano del tráfico de influencias:

---

[109]Los libros de cuento de Francisco Hinojosa son *Informe negro*. México, Fondo de Cultura Económica, 1987; *Memorias segadas de un hombre en el fondo bueno y otros cuentos hueros*. México, Heliópolis, 1995; *Cuentos héticos*. México, Joaquín Mortiz, 1996; *Un tipo de cuidado*, Tusquets, 2000.

(...)

—Qué, ¿tiene mucha prisa de sacar su pasaporte?

—Mucha.

—Mucha o harta o nomás bastante, o sólo demasiada.

—¿Mucha es menos que harta?

—Sté qué cree.

—Pues que sí.

—Pero harta es mens que muchísima.

—Entonces muchísima.

—Si tiene muchísima es mal momento.

—¿Y si en lugar de muchísima sólo tenemos harta?

—Psentonces no es tan difícil.

—Tenemos harta.

—De tods modstá difícil.

—Qué tan difícil.

—Depende (...)

—De qué depende —dijo al fin el Pelón.

—Psin influencia es cosa de seis meses. Con buena influencia es cosa de tres meses. Con mala influencia,
chance cuatro.

—Válgame Dios.

—Pero si es suprema es cosa diunhora.

—¿Cómo se le hace para que sea suprema?

—No psi tiene que preguntar, no califica.

—¿Cómo se le hace para que sea suprema? —insistió el
Pelón y de inmediato se contestó él mismo— ya sé: depende.

—Exacto —dijo la voz.[110]

Por su parte, Guadalupe Loaeza, en "La Rosa Púrpura de
San Lázaro", propone una adaptación paródica de Woody
Allen, donde la narradora observa por televisión al Secretario
de Gobernación, mientras éste responde las críticas de la
oposición:

[110]Guillermo Sheridan: *El dedo de oro*. México, Alfaguara, 1996, pp. 223-228.

*"La inflación bajó del 150 al 60 por ciento, lo que sig-
nifica una diferencia importante y –sin lugar a dudas–
un logro de la política", le dijo al diputado del PSUM.
"Ay sí, pero a qué costo", exclamé de pronto. En ese
preciso momento el secretario levantó la cabeza y me
miró fijamente: "¿Qué dijo?", me preguntó. "¿Yo?", dije
incrédula y asombrada. "Sí, sí, usted". "¿Me está ha-
blando a mí?" "Sí, usted que lleva horas frente a su televisión". No lo podía creer, me estaba sucediendo lo
mismo que a Cecilia (Mia Farrow) en la última pelícu-
la de Woody Allen,* La rosa púrpura del Cairo. *Y así
como Tom Baxter decide abandonar la pantalla del cine, vi cómo Jesús Silva Herzog salía de la pantalla de
televisión. "¿Por qué dice eso?", me dijo, parándose
frente a mí.*

*(…) Rápidamente nos subimos a mi Volkswagen y nos
dirigimos hacia el Centro. (…) Como no avanzábamos
mucho, a causa del tráfico, decidimos entonces tomar el
metro. Allí el licenciado no daba crédito a lo que veía.
"¿Por qué hay tanta gente?" "Ay, licenciado, siempre está
igual de lleno; esto es México"* (…)[111]

En el terreno de la ciencia ficción también se está creando una tradición propia, la cual ha logrado la suficiente ma-
durez para permitirse el lujo de parodiar las convenciones del
género, adaptadas al contexto nacional. Héctor Chavarría
narra las reacciones de los habitantes de la ciudad de México
al conocer la noticia de una alarma nuclear. En "Lo último
de nuestras vidas" cada uno de los habitantes de la capital decide hacer todo aquello a lo que nunca se habían atrevido
en condiciones normales, como "la comentarista de televisión que terminó haciendo *strip tease* en el periférico para re-

---

[111]Guadalupe Loaeza: *Las niñas bien.* México, Cal y Arena, 1988, pp. 136-138.
Véase también *Las damas primero.* México, Océano, 1985.

gocijo de los transeúntes".[112] Al final todo resulta la broma de un *hacker*, mientras las vidas de quienes no se suicidaron cambió de manera radical y, en ocasiones, ridícula.

Estas formas de pesimismo ante el futuro del país parecen formar parte del clima paranoico y desangelado que también es compartido por un sorprendentemente creciente número de narradores cyberpunk, que adoptan las perspectiva de lo que algunos han llamado una narrativa post-apocalíptica.

Después del fin

El humor presente en estos relatos es múltiple. Cada escritor crea un tono característico, indisociable de su visión urbana. Hay humor alegórico (Alfonso Reyes), tierno (Elena Poniatowska), cruel (El Fisgón), hiperbólico (Bernarda Solís), ucrónico (Óscar de la Borbolla), erótico (Guillermo Samperio), proletario (Paco Ignacio Taibo II), paródico (Luis Miguel Aguilar), irónico (Luis Humberto Crosthwaite) y optimista (Guadalupe Loaeza).

Cada una de estas formas de humor contribuye al retrato colectivo de un espacio común, precisamente por la vocación de cada escritor de mostrar una visión particular del apocalipsis y dar voz a los múltiples personajes de su ciudad.

El humor es una estrategia narrativa y puede ser también un estilo de vida, un vehículo para la crítica social, el síntoma de una ruptura con las convenciones, una exploración de lo diferente, un viaje hacia lo otro y tal vez, a fin de cuentas, el inicio de un diálogo más satisfactorio con la realidad.

---

[112]Héctor Chavarría: "Lo último de nuestras vidas", en *Los mapas del caos*. Compilación de Gerardo Horacio Porcayo. México, Ramón Llaca, 1997, p. 8.

También el humor puede ser el síntoma de la aspiración colectiva a un clima de discusión y crítica para hacer de la ciudad un espacio democrático de convivencia civilizada. Después de todo, la ciudad es muchas ciudades, y la ciudad literaria es tan compleja y diversa como la ciudad política.

En todos los casos son siempre los lectores quienes tienen la última palabra.

Metaficción posmoderna en el cuento mexicano

Durante los últimos 25 años, casi desde la publicación en 1980 de *Narcissistic Narrative,* de Linda Hutcheon, se ha sostenido en numerosos trabajos que la narrativa posmoderna en América Latina adopta la forma de metaficción historiográfica, de manera similar a lo que ocurre con la novela europea y norteamericana (A. Pulgarín, 1995; R. Cornejo-Parriega, 1993). A partir de este supuesto se han realizado numerosas investigaciones sobre la llamada novela posmoderna hispanoamericana (M. C. Pons, 1996; R. Williams, 1995) y se ha acuñado el término de Nueva Novela Histórica para referirse a ella (S. Menton, 1993).

Sin embargo, en todos estos estudios se ha dejado de lado al cuento, no sólo en América Latina, sino también en Europa y en Estados Unidos. En el contexto de esta discusión, el interés del cuento "La fiesta brava" (que para algunos podría ser considerado como una novela corta) consiste en que se trata de uno de los pocos casos (si no es el único) de cuento hispanoamericano al que se podría considerar como metaficción historiográfica.

Para desarrollar esta idea será necesario presentar algunos antecedentes sobre la discusión contemporánea acerca de la metaficción y la narrativa posmoderna.

¿Es posible teorizar sobre la metaficción?

Hay muchas formas posibles de definir a la metaficción, y cada una de ellas contiene una serie de presupuestos en relación con la naturaleza del lenguaje, los procesos de interpretación que ocurren durante la lectura de textos, y la relación entre la escritura y la reflexión teórica acerca de esta escritura (M. Currie, 1995).

En este capítulo adoptaré una definición según la cual la metaficción es una estrategia de escritura (y de lectura de un texto cualquiera) en la que se ponen en evidencia, de manera explícita o implícita, las condiciones de posibilidad de la misma escritura (P. Waugh, 1984). Esta definición puede ser considerada como radical, pues parte de la hipótesis constructivista de que toda interpretación es una ficción (es decir, una verdad cuyo sentido es contextual), y del supuesto de que las ficciones literarias son sólo una de las muchas estrategias que utilizamos los seres humanos para dar sentido a nuestra experiencia.

Por otra parte, una definición mucho más sencilla, expresada desde la perspectiva del lector de textos literarios, podría ser, simplemente, que la metaficción es todo cuento o novela cuyo tema, principal o secundario, es precisamente el acto de leer o escribir un cuento o una novela. En muchas ocasiones, el cuento o novela que el protagonsita puede estar leyendo o escribiendo dentro de la narración puede coincidir, al menos en su título, con el texto que el lector (real) se encuentra leyendo en ese momento.

La metaficción ha existido desde antes de la escritura de *El Quijote*, aunque hay pocos textos paradigmáticamente modernos que tengan tal diversidad de juegos autorreferenciales. Podría pensarse en otras novelas canónicas, como *Jaques el fatalista,* de Denis Diderot; *Tristram Shandy,* de Laurence Sterne; y *En-Nadar-Dos-Pájaros,* de Flann O´Brien, entre muchos otros antecedentes de la metaficción novelística contemporánea.

Pero la atención recibida por éstas y muchas otras novelas durante las últimas décadas tiene como referente crítico fundamental el trabajo de la investigadora canadiense Linda Hutcheon. En *Narcissistic Narrative* y varios trabajos posteriores, Hutcheon sostiene que no puede haber una teoría de la metaficción, sino tan sólo implicaciones para la teoría literaria a partir del estudio de la metaficción (L. Hutcheon 1980, p. 155).

Sin embargo, la naturaleza misma de la metaficción tiene coincidencias con el giro retórico en la filosofía del conocimiento; de tal manera que la metaficción no es sólo otra forma, modo o técnica de la narrativa, sino una estrategia de escritura que puede contribuir a la disolución de los límites genéricos convencionales que ha sostenido el discurso racionalista, es decir, las fronteras entre el discurso académico y el literario; entre el discurso científico y el utilizado en la vida cotidiana, o entre el discurso de la historiografía especializada y el de la imaginación poética.

Así pues, a la tesis de que no se puede construir una teoría de la metaficción, se le puede oponer la tesis de que toda teoría narrativa es ya una teoría de la metaficción, pues en toda ficción hay un gradiente de metaficcionalidad. Asimismo, se puede sostener que toda ficción tiene, en alguna medida, diversos niveles de metaficción (W. Ommundsen, 1993). Esta tesis significa adoptar una postura perspectivista, según la cual todo texto puede ser interpretado de muy distintas formas, de acuerdo con la perspectiva adoptada pra construir una interpretación particular.

La narrativa metaficcional en México

La metaficción es una estrategia de ruptura de la ilusión de realidad que tienen todas las interpretaciones narrativas respecto de la propia realidad, incluyendo las que consideramos como literarias. Es por eso que la metaficción es una estrategia de escritura reflexiva característica de la narrativa moderna.

Sin embargo, y particularmente a partir de la segunda mitad de los años 60 y principios de los 70 –periodo en el cual fue escrito el cuento "La fiesta brava", del escritor mexicano José Emilio Pacheco (J. E. Pacheco, 1970)–, se escribieron diversas novelas hispanoamericanas de naturaleza metaficcional que despertaron un interés que rebasó las fronteras geográficas y lingüísticas de nuestra tradición narrativa, como es el caso de *Rayuela, Cien años de soledad, Yo el Supremo, Libro de Manuel, Tres tristes tigres* y *Entre Marx y una mujer desnuda*, entre muchas otras.

En el contexto mexicano, tan sólo durante el periodo de 1967 a 1982 el investigador norteamericano John Brushwood registra la publicación de varias docenas de novelas metaficcionales. Durante 1967, cuando se publica la novela metaficcional *Morirás lejos*, del propio José Emililo Pacheco, también se publican otras importantes novelas metaficcionales: *Los juegos*, de René Avilés Fabila; *Cambio de piel*, de Carlos Fuentes; y *El garabato*, de Vicente Leñero.

En los años inmediatamente posteriores también se publicaron importantes novelas mexicanas de naturaleza metaficcional. Entre ellas podrían mencionarse, a manera de ilustración, las siguientes: *El hipogeo secreto* (1968), de Salvador Elizondo; *Obsesivos días circulares* (1969), de Gustavo Sáinz; *Los largos días* (1973), de Joaquín-Armando Chacón; *El libro vacío* (1970), de Josefina Vicens; *Héroes convocados* (1982), de Paco Ignacio Taibo II; *ABECEDerio o ABCDamo* (1980), de Daniel Leyva; y *Palinuro de México* (1977), de Fernando del Paso, entre muchas otras.

En este punto es interesante señalar que *Morirás lejos* es una de las novelas más estudiadas de la narrativa mexicana, junto con *Los de abajo* (1916), de Mariano Azuela; *Al filo del agua* (1947), de Agustín Yáñez; *Pedro Páramo* (1954), de Juan Rulfo; y *La muerte de Artemio Cruz* (1962), de Carlos Fuentes. Es, tal vez, la novela metaficcional más ambiciosa de la literatura mexicana, junto con *Terra Nostra* (1975), de Carlos Fuentes, aunque el interés por su dimensión metaficcional aún está por ser explorado.

En el caso del cuento, la presencia de textos metaficcionales es relativamente escasa. Aunque es posible encontrar a numerosos narradores hispanoamericanos que han escrito cuentos metaficcionales en el siglo XX, sin embargo ésta es una tradición que se ha desarrollado más en el Cono Sur que en otras regiones del continente. Los nombres de Jorge Luis Borges, Felisberto Hernández, Julio Cortázar, Enrique Anderson Imbert y Ricardo Piglia vienen a la mente, y son los antecedentes del tipo de cuento que nos ocupa.

En el caso de México no hay muchos antecedentes para "La fiesta brava". Habría que pensar en "El café de Nadie" (1926), de Arqueles Vela; "La mano del comandante Aranda" (1949), de Alfonso Reyes; "Visión del escribiente" (1951), de Octavio Paz; y "El nombre es lo de menos" (1961), de Carlos Valdés. Después de 1970 se publican "El grafógrafo" (1972), de Salvador Elizondo; "Relatos" (1978), de Alejandro Rossi; y "Mephisto-Waltzer" (1979), de Sergio Pitol, y más recientemente encontramos algunos juegos metaficcionales en ciertos cuentos de Dante Medina, Guillermo Samperio, Vicente Leñero, Bárbara Jacobs, Martha Cerda y Óscar de la Borbolla.

De acuerdo con lo anterior, podemos precisar que la metaficción es poco frecuente en el cuento mexicano, en comparación con su presencia en la novela; lo cual es otra razón para considerar a "La fiesta brava" como parte de una tradición narrativa poco desarrollada en México, y a la vez como antecedente de una forma de escritura marcadamente experimental.

¿Qué tiene la metaficción posmoderna que no tenga la metaficción moderna?

La idea central de estas notas consiste en señalar que la ficción y la metaficción posmodernas son radicalmente distintas en el caso de la novela y en el caso del cuento. Mi interés está centrado en la teoría literaria, y por esta razón no propongo una comparación entre ambos géneros, sino mostrar la insuficiencia del modelo que sostiene que toda ficción posmoderna es metaficción historiográfica, pues esta definición no es aplicable al estudio del cuento mexicano contemporáneo.

Así, la pregunta central en esta discusión puede ser formulada en estos términos: ¿Qué distingue a la metaficción moderna de la posmoderna, y en particular cómo se presenta esta diferencia en el caso del cuento hispanoamericano? Para responder esta pregunta es necesario primero distinguir entre el cuento clásico, el moderno y el posmoderno.

En este contexto podemos señalar que el cuento clásico es epifánico, monológico y sigue una secuencia cronológica lineal. En el caso del cuento mexicano, esta tradición literaria caracteriza, por ejemplo, al cuento de la Revolución Mexicana y a las formas del realismo y las vanguardias de la primera mitad del siglo.

El cuento moderno surge en la segunda mitad de este mismo siglo XX, y es en 1952 cuando se publica *Confabulario,* de Juan José Arreola. En los años inmediatamente siguientes se publican otros libros de cuento indiscutiblemente modernos, como *El llano en llamas* (1953), de Juan Rulfo; *Los días enmascarados* (1954), de Carlos Fuentes; y *¿Águila o sol?* (1955), de Octavio Paz. En los cuentos contenidos en estas colecciones se encuentran elementos de la modernidad cuentística: espacialización del tiempo, experimentación con la estructura narrativa y con las reglas genéricas, y una intensificación del tono intimista del relato.

Pero es precisamente en el periodo de 1967 a 1971 cuando se inicia un cambio en la forma de escribir cuento en México, pues se adopta un tono lúdico y hay una fuerte presencia del humor y la ironía. En este breve periodo se publican en México *La ley de Herodes* (1967), de Jorge Ibargüengoitia; *La oveja negra* (1967), de Augusto Monterroso; *Inventando que sueño* (1968), de José Agustín; *Álbum de familia* (1971), de Rosario Castellanos; y *El principio del placer* (1971), de José Emilio Pacheco, que incluye precisamente el cuento "La fiesta brava".

El cuento posmoderno, en el que se yuxtaponen elementos provenientes de la tradición del cuento clásico y moderno, puede ser definido como un cuento irónico, carnavalesco, híbrido, altamente intertextual y que en ocasiones puede jugar con las fronteras canónicas de la extensión del cuento, llegando a rozar las fronteras de la novela corta o del cuento ultracorto, respectivamente.

Ciertamente, "La fiesta brava" tiene todos estos rasgos, y por ello es posible afirmar que este texto es un ejemplo paradigmático de cuento posmoderno, independientemente de ser el único caso de metaficción historiográfica en la historia del cuento hispanoamericano.

El caso de "La fiesta brava" y otros cuentos posmodernos

Antes de concluir este capítulo sería conveniente detenerse a observar algunos elementos narrativos de "La fiesta brava", que ha sido uno de los cuentos más estudiados en la historia del cuento mexicano contemporáneo.

Ya el título de esta narración tiene una naturaleza irónica, al referirse de manera ambigua tanto al título del cuento de José Emilio Pacheco como al cuento que escribe su personaje principal. A su vez, como ha sido señalado por la crítica, el título recuerda al universo español, es decir, al lenguaje de una cultura dominante en el contexto del relato. A partir de ahí, el epígrafe funciona como intriga de predestinación, al anunciar la pérdida de identidad que sufre el protagonista, y que puede ser interpretada alegóricamente, en el contexto inmediatamente posterior a la masacre estudiantil de 1968.

Si reconocemos que, como ha escrito Borges, "todo cuento cuenta dos historias", este texto cuenta la historia de un cuento y la historia del cuentista que lo escribió, y termina por borrar de su memoria el compromiso histórico que está en juego en esta escritura.

Desde esta perspectiva, los personajes y los espacios narrativos están definidos en función de una estructura de poder, en la que uno de estos personajes es el director de la acción (Andrés, en su calidad de escritor), otro de ellos es el actor (Keller, en su papel de personaje) y otro más es un espectador (Arbeláez, en su calidad de lector).

La superposición de tiempos imaginarios y tiempos históricos lleva a una superposición de la realidad textual y la realidad histórica, en la que esta última es engullida por la fuerza moral de aquélla. Pero si toda narración puede ser estudiada como la transformación de las estructuras de poder en las que están inmersos sus personajes, en "La fiesta brava" nos encontramos ante una transformación de las funciones del escritor, el lector y los personajes. Al concluir la lectura del cuento, el personaje que al inicio de la narración es un escritor, ahora queda convertido en personaje de su propia ficción, mientras el autor del texto metaficcional (Pacheco) se convierte a sí mismo en el lector irónico de su propia ficción. Pero tal vez la transformación más importante sea la que se efectúa en relación con el lector del cuento, pues este último es invitado a convertirse en el autor de su propia ficción, es decir, es confrontado con las estructuras que posibilitan la creación de sus propias ficciones, y, por lo tanto, es llevado a asumir un compromiso con su propia condición histórica.

Éste es un cuento en el que la intertextualidad está al servicio de una transformación de las funciones narrativas, de tal manera que el lector termina siendo cómplice de un sacrificio ritual: el sacrificio de un personaje que traiciona el universo moral de su propia ficción debido al rechazo de su interpretación original de la historia.

Conclusiones

La característica más específica de la narrativa posmoderna, al menos en el cuento contemporáneo, no es la presencia de metaficción historiográfica, sino tal vez una intertextualidad itinerante, una especie de errancia intergenérica, cuyo reconocimiento es responsabilidad del lector.

Esto último nos lleva a reconocer que "La fiesta brava" no podría ser el único cuento hispanoamericano en el que hay una reflexión sobre las estructuras de poder que son reproducidas o subvertidas narrativamente a través de la escritura, como ocurre en la nueva novela histórica hispanoamericana.

La lectura subtextual que permite articular estas interpretaciones es responsabilidad de cada lector, y su presencia irónica puede reconocerse en algunos autores de cuento mexicano e hispanoamericano contemporáneo, en los que se proponen diversos niveles subtextuales y alegóricos, no siempre explícitos.

El cuento posmoderno en México, entonces, tiene como antecedente directo a "La fiesta brava", precisamente por ser un ejercicio de escritura alegórica, cuyo sentido sigue siendo reconstruido por cada generación de lectores, y por el contexto en el cual cada una de estas lecturas se convierte, de manera particular, en una relectura irónica de la historia.

Minificción mexicana

La minificción mexicana en el siglo XX

La minificción es la narrativa literaria de extensión mínima, que generalmente no rebasa el espacio de una página impresa. Este género de la escritura, por su extrema brevedad, suele ser marcadamente experimental y lúdico.

Precisamente debido a su naturaleza proteica (es decir, a su hibridez genérica) es muy frecuente que un mismo texto de minificción sea incorporado, de manera simultánea, a las antologías de poema en prosa, ensayo y cuento. Este hecho, además de la existencia de una tradición genérica propia, amerita la creación de antologías en las que se reconozca la especificidad literaria de la minificción.

La minificción en lengua española

Es necesario establecer que el empleo del término *minificción* se utiliza aquí para referirse lo mismo a *mini-cuentos* (de naturaleza literal, convencional, clásica) que a *micro-relatos* (de naturaleza alegórica, experimental y moderna), así como a las *minificciones posmodernas* donde coexisten ambas tradiciones de manera paradójica (gracias al empleo de la ironía y la hibridación de tradiciones genéricas).

Aunque la tradición narrativa de la brevedad extrema es tan antigua como la sabiduría popular y la cultura religiosa (en forma de parábolas bíblicas, cuentos derviches, alegorías budistas, relatos chinos y otras manifestaciones populares y didácticas), en el contexto hispanoamericano el primer libro de minificción literaria es *Ensayos y poemas* (1917), del mexicano Julio Torri, cuyo título paradójicamente excluye al género narrativo. Antes de esta fecha sólo es posible encontrar volúmenes de otros escritores donde se incluyen textos brevísimos de prosa narrativa o de poema en prosa entremezclados con ensayos, poemas y cuentos de extensión convencional.

Sin embargo, el primer estudio sistemático sobre este género fue escrito apenas en 1986 por Dolores Koch, presentado como su tesis doctoral para la Universidad de la ciudad de Nueva York (CUNY) con el título *El micro-relato en México: Torri, Arreola y Monterroso*.[113] Actualmente existen ya otras tesis de posgrado dedicadas al estudio de la minificción hispanoamericana en el siglo XX escritas en Estados Unidos, Argentina, España y México. Entre ellas se pueden mencionar las de Andrea Bell, Concepción Del Valle, Beatriz Espejo, Francisca Noguerol, Laura Pollastri y Seidy Rojas.[114] Además, también hay numerosos estudios individuales y colectivos con extensión de libro dedicados al género, publicados en Ar-

---

[113]Dolores M. Koch: "El micro-relato en México: Julio Torri, Juan José Arreola y Augusto Monterroso". The City University of New York. Tesis doctoral, 1986, 232 p. En 1981 se publicó un adelanto de esta investigación en la revista *Hispamérica* de la Universidad de Maryland, donde ya se señala la distinción entre minicuento (tradicional) y micro-relato (experimental).

[114]Andrea Bell: "The *cuento breve* in modern Latin American literature". Stanford University. Tesis doctoral, 1991, 224 p. (sobre Venezuela, Argentina, Uruguay, Chile). // Concepción Del Valle Pedrosa: "Como mínimo. Un acercamiento a la microficción hispanoamericana". Universidad Complutense de Madrid. Tesis doctoral, 528 p., 1991. // Beatriz Espejo: *Julio Torri: voyerista desencantado*. México, Diana, 1991. // Francisca Noguerol: *La trampa en la sonrisa. Sátira en la narrativa de Augusto Monterroso*. Universidad de Sevilla, 1995; 2ª ed., 2000. // Laura Pollastri: "Hacia una poética de las formas breves en la actual narrativa hispanoamericana: Julio Cortázar, Juan José Arreola y Augusto Monterroso". Universidad Nacional del Comahue, Neuquén, Argentina, 130 p. // Seidy Rojas: "De textos muchos y lectores pocos. La metaficción en el microrrelato hispanoamericano". Tesis de Maestría en Teoría Literaria, Universidad Autónoma Metropolitana, Iztapalapa, México, 2001.

gentina, Colombia, Venezuela, Estados Unidos, Francia, España y México, todos ellos a partir del año 1997.[115]

Éstos y otros estudios recientes, así como la realización de congresos internacionales sobre el género, las numerosas antologías internacionales y la incorporación de minificciones en la educación elemental y de posgrado han contribuido a un paulatino reconocimiento de este género literario.

Este creciente interés también ha estado acompañado por la creación de varias revistas dedicadas exclusivamente a la publicación de minificciones, como *Maniático textual* (en Argentina), *Ekuóreo* (en Colombia) y *100 Words* (en Estados Unidos). El lugar privilegiado que ha ocupado México en este proceso se puede observar tan sólo en el hecho de que el más antiguo Concurso de Cuento Brevísimo en el mundo fue convocado por la revista mexicana *El Cuento*, creada en 1964 (en su segunda época) y dirigida por el escritor Edmundo Valadés. Aquí es necesario señalar la necesidad de sistematizar la vasta cantidad de minificciones que publicó la revista *El Cuento* a lo largo de su existencia, y que todavía está en

---

[115]David Lagmanovich: *Microrrelatos*. Cuadernos de Norte y Sur, Tucumán, 1997. // Graciela Tomassini y Stella Maris Colombo: *Comprensión lectora y producción textual. Minificción hispanoamericana*. Rosario, Argentina, Editorial Fundación Ross, 1997. (Contiene una breve antología didáctica.) // Juan Armando Epple, ed.: *Brevísima relación sobre el cuento brevísimo*. Washington, *Revista Interamericana de Bibliografía*, vol. XLVI, 1996. (Contiene doce ensayos sobre minificción y una antología de 100 minificciones hispanoamericanas.) // Roberta Allen: *Fast Fiction. Creating Fiction in Five Minutes*. Cincinatti, Ohio, Story Press, 1997. // Violeta Rojo: *Breve manual para reconocer minicuentos*. México, Universidad Autónoma Metropolitana Azcapotzalco, 1997. (Originalmente publicado en Venezuela, contiene una antología en las páginas 135-191.) // Ángela María Pérez Beltrán: *Cuento y minicuento*. Bogotá, Colombia, Página Maestra Editores, 1997. (Contiene un estudio del género y una antología.) // Nana Rodríguez Romero: *Elementos para una teoría del minicuento*. Tunja (Colombia), Colibrí Ediciones, 1996. // Lauro Zavala et al.: *Lecturas simultáneas. La enseñanza de lengua y literatura con especial atención al cuento ultracorto*. México, UAM Xochimilco, 1999. // En Francia se publicó el volumen colectivo *América. Cahiers du CRICCAL* no. 18. *Formes brèves de l'expression culturelle en Amérique Latine de 1950 à nous jours*. Tome 1: *Poétique de la forme brève. Conte, Nouvelle*. París, Université de la Sorbonne Nouvelle, 1998.

espera de un estudio y de una antología propia, en especial a partir de aquellos textos que obtuvieron el mencionado premio.

El contexto hispanoamericano cuenta con escritores de minificción tan prestigiados como Jorge Luis Borges, Julio Cortázar, Marco Denevi, Enrique Anderson Imbert y Ana María Shua (en Argentina), Eduardo Galeano y Cristina Peri-Rossi (en Uruguay), Luis Britto García, Gabriel Jiménez Emán y José Antonio Ramos Sucre (en Venezuela), Luis Rafael Sánchez (en Puerto Rico), Jairo Aníbal Niño (en Colombia), Pía Barros (en Chile), Guillermo Cabrera Infante (en Cuba) y muchos otros. Aquí es conveniente señalar que las minificciones de cada uno de estos escritores ya han sido objeto de estudios sistemáticos dentro y fuera de sus países de origen, y también cada uno de ellos ha sido objeto de volúmenes antológicos dedicados exclusivamente a su producción minificcional. Por otra parte, en la comunidad chicana son conocidos los trabajos de Sandra Cisneros y Rolando Hinojosa, y en España es imprescindible mencionar a Luis Landero, Hipólito Navarro y Max Aub.

En 1998 se realizó en la ciudad de México el Primer Encuentro Internacional de Minificción, en el que participaron investigadores y escritores de Colombia, Chile, España, México y Venezuela. En 1999 se publicó en la UAM Xochimilco un volumen colectivo sobre la enseñanza de lengua y literatura con el empleo de minificción (*Lecturas simultáneas*). Y los dos primeros números de la revista especializada de investigación *El Cuento en Red*, correspondientes al año 2000, están dedicados a los estudios sobre minificción (http://cuentoenred.org).

En este momento hay al menos una docena de antologías dedicadas a la minificción producida en el mundo,[116] y tam-

---

[116]Roger B., ed.: *75 Short Masterpieces. Stories from the World's Literature*. New York, Bantam Books, 1961. // Irving Howe & Ileana Wiener Howe, eds.: *Short Shorts. An Anthology of the Shortest Stories*. New York, Bantam Books. // Robert Shapard & James Thomas, eds.: *Sudden Fiction. American Short-Short Stories*.

bién a la minificción hispanoamericana.[117] Pero todavía no existe una antología especializada en la minificción mexicana.

En México la escritura de minificción cuenta con una larga tradición literaria a lo largo del siglo XX, y esta escritura ha sido objeto de traducciones, antologías y homenajes literarios, esto último en forma de parodias, pastiches y secuelas. Por otra parte, al aproximarse a la lectura de este género es muy frecuente transitar entre novelas fragmentarias y colecciones de poemas en prosa.

La tradición señalada se puede reconocer en los espléndidos textos del *Bestiario*, de Juan José Arreola, quien tuvo como amanuense a José Emilio Pacheco, y que fueron concebidos en 1959. Pero esta tradición, continuada por muchos otros

Layton, Utah, Gibbs M. Smith Inc.,1986 (Traducido al español como *Ficción súbita. Relatos ultracortos norteamericanos*. Barcelona, Anagrama, 1989). // Robert Shapard & James Thomas, eds.: *Sudden Fiction International. 60 Short Short Stories*. New York & London, W. W. Norton, 1989. // Irene Zahava, ed.: *Word of Mouth. Short-Short Stories by 100 Women Writers*, vol. 2. Freedom, California, The Crossing Press, 1989. // James Thomas, Denise James & Tom Hazuka, eds.: *Flash Fiction. 72 Very Short Stories*. New York, W. W. Norton, 1989. // Rosemary Sorensen, ed.: *Microstories. Tiny Stories*. Auckland-London, Angus & Roberstson (Harper & Collins), 1993. // Robert Weinberg & Stefan Dziemianowicz & Martin Greenberg, eds.: *Dastardly Little Detective Stories*. New York, Barnes & Noble, 561 p., 1993. // Steve Moss, ed.: *The World's Shortest Stories. Murder. Love. Horror. Suspense. All this and much more in the most amazing short stories ever written –each one just 55 words long!* Philadelphia–London, Running Press, 1998. // Gianni Toti, ed.: *I racconti più brevi del mondo*. Roma, Edizioni Fahrenheit 451, 1995. // Jerome Stern, ed.: *Micro Fiction. An Anthology of Really Short Stories*. New York, W.W. Norton, 1996. // Círculo Cultural Faroni: *Quince líneas. Relatos hiperbreves*. Prólogo de Luis Landero. Barcelona, Tusquets, Serie Andanzas, núm. 288. Barcelona, 1996. // Steve Moss & John M. Daniel, eds.: *The World's Shortest Stories of Love and Death. Passion. Betrayal. Suspicion. Revenge. All this and more in a new collection of amazing short stories –each one just 55 words long!* Philadelphia–London, Running Press, Philadelphia, 1999.

[117] Las antologías de Erna Brandenberger, Raúl Brasca, Guillermo Bustamante y Harold Kremer, Juan Armando Epple, José Luis González, Gabriel Jiménez Emán, Alejandra Torres y Lauro Zavala, y las incluidas en los estudios de Ángela Pérez, Violeta Rojo, y Graciela Tomassini-Stella Maris Colombo. Las referencias bibliograficas son las siguientes: Erna Brandenberger, ed.: *Cuentos brevísimos / Spanische Kürzest-geschichten*. Munich, Deutscher Taschenbuch Verlag, 1994. //

(como Roberto López Moreno), no es la única que se practica en México, donde también se ha jugado con la mitología de origen europeo, como puede observarse en las versiones irónicas elaboradas por Augusto Monterroso, René Avilés Fabila y Raúl Renán.

La escritura de minificciones ha generado una tradición intertextual en la que numerosos textos parecen dialogar entre sí a partir de motivos comunes.

Por otra parte, la práctica de la narrativa fragmentaria (es decir, las series narrativas que pueden ser leídas alternativamente como novela o como cuentos integrados) tiene en México una importante tradición, a pesar de que apenas ahora empieza a recibir atención crítica. Entre estos textos hay que mencionar *Cartucho*, de Nellie Campobello (1931); *La feria*, de Juan José Arreola (1962); y *Terra Nostra*, de Carlos Fuentes (1975). Aquí es necesario señalar que esta estrategia de lectura (considerar fragmentos brevísimos de novelas muy extensas como textos con valor literario autónomo) ya fue practicada por Jorge Luis Borges y Adolfo Bioy Casares en la antología que titularon *Cuentos breves y extraordinarios* (1953), formada exclusivamente por fragmentos, y cuya lógi-

Raúl Brasca, ed.: *Dos veces bueno. Cuentos brevísimos latinoamericanos.* Buenos Aires, Instituto Movilizador de Fondos Cooperativos, 1996. // Raúl Brasca, ed.: *2 veces bueno 2. Más cuentos brevísimos latinoamericanos.* Buenos Aires, Instituto Movilizador de Fondos Cooperativos, 1997. // Guillermo Bustamante & Harold Kremer, eds.: *Antología del cuento corto colombiano.* Colombia, Universidad del Valle, 1994. // R. Díaz, y Carlos Parra: *Breve teoría y antología sobre el minicuento latinoamericano.* Neiva (Colombia), Samán Editores. // Juan Armando Epple, ed.: *Brevísima relación. Antología del micro-cuento hispanoamericano.* Santiago de Chile, Editorial Mosquito Comunicaciones. (Hay una nueva edición publicada en 1999.) // Antonio Fernández Ferrer, ed.: *La mano de la hormiga. Los cuentos más breves del mundo y de las literaturas hispánicas.* Alcalá, Universidad de Alcalá de Henares, Fugaz Ediciones, 1988. // José Luis González, ed.: *Dos veces cuento. Antología de microrrelatos.* Madrid, Ediciones Internacionales Universitarias, 1997. // Gabriel Jiménez Emán, ed.: *Ficción mínima. Muestra del cuento breve en América.* Caracas, Fondo Editorial Fundart, 1996. // Alejandra Torres, ed.: *Cuentos breves latinoamericanos.* Buenos Aires, coedición latinoamericana, 1998. // Lauro Zavala, ed.: *Relatos vertiginosos. Antología de ficción mínima.* México, Alfaguara, 2000.

ca fue retomada parcialmente por Edmundo Valadés, en *El libro de la imaginación* (1976).[118]

Al señalar la existencia de un canon de minificción en México establecido en los primeros 75 años del siglo xx, es necesario reconocer el trabajo de otros escritores de minificción que han surgido durante los últimos 25 años. Es importante mencionar aquí, que desde mediados de la década de 1960 José de la Colina ha explorado las formas de ironizar diversas tradiciones literarias en textos decantados hasta el extremo de la poesía. Por su parte, Felipe Garrido ha creado, con el cuidado de un miniaturista, un universo imaginario propio habitado por sirenas de carne y hueso, y por mujeres seductoras y volátiles, siempre a punto de materializarse sobre la página. Y Guillermo Samperio es un escritor notablemente lúdico y experimental, creador de series textuales donde juega con las posibilidades de una imaginación impredecible.

Por su parte, también en México hay otros escritores que han publicado al menos un volumen de minificción con una personalidad literaria fácilmente reconocible. Éste es el caso de René Avilés Fabila (cuya versión irónica de lo fantástico exhibe su formación periodística), Mónica Lavín (cuyos universos textuales son invocaciones imposibles fuera de la página escrita), Raúl Renán (atraído por la tradición grecolatina y por la fuerza de las palabras), Sergio Golwarz (productor de infundios de naturaleza paradójica), Ethel Krauze (cronista de epifanías femeninas reveladas en imágenes cotidianas), Luis Humberto Crosthwaite (hábil en la recreación del lenguaje coloquial), Raymundo Ramos (orfebre textual que alterna la escatología con la brillantez del lenguaje), Alejandro Jodorowski (fiel seguidor de la tradición iluminista oriental y asiduo practicante de la escritura alegórica), y

---

[118]Jorge Luis Borges y Adolfo Bioy Casares, eds.: *Cuentos breves y extraordinarios. Antología* (1953). Buenos Aires, Losada, 1997. // Edmundo Valadés, ed.: *El libro de la imaginación* (1976). México, Biblioteca Joven, Fondo de Cultura Económica, 1984 (tiraje de 30 000 ejemplares).

José Emilio Pacheco (autor de numerosas viñetas de carácter historiográfico).

Estos autores también han destacado en otros géneros de la escritura, como la novela, la poesía o la crónica. En cambio, los escritores de la siguiente sección han trabajado hasta ahora exclusivamente en la minificción, donde han publicado, de forma individual, algún volumen que se encuentra a medio camino entre la novela y el cuento (Andrés Acosta), entre la poesía y la viñeta cotidiana (Jorge Arturo Abascal) o entre el ensayo y la crónica urbana (Norberto de la Torre). Estos últimos, por cierto, han escrito y publicado su trabajo en los estados de Puebla y San Luis Potosí, lo que permite enfatizar la importancia para este género de autores que escriben en el interior del país, como Luis Humberto Crosthwaite (en Tijuana), Roberto López Moreno (en San Cristóbal de las Casas) o Martha Cerda y Dante Medina (en Guadalajara).

Otros textos han sido elaborados por Juan José Arreola y por Mariano Silva y Aceves a partir de textos igualmente breves de Julio Torri y el francés Aloysius Bertrand, todo lo cual confirma la naturaleza fuertemente intertextual de la minificción.

Existe también una riquísima tradición de la escritura reflexiva en la que se pone en entredicho, de manera irónica, la frontera convencional entre realidad y ficción. A estos textos ficcionales que tratan sobre el acto de leer (y escribir) se les ha llamado, precisamente, *metaficción ultracorta*.

En corto

A juzgar por los indicadores del consumo, el lector común prefiere la lectura de una novela mullida y sin riesgos. La minificción, en cambio, es un género intenso y riesgoso, exigente y generoso, cuya naturaleza está en consonancia con la sensibilidad contemporánea, a la vez mestiza y fragmentaria. Su necesaria precisión produce textos de una intensa intertextualidad y una inevitable ironía.

Al ofrecer esta lectura tengo la esperanza de haber hecho un justo homenaje a la riqueza, diversidad y frescura de una producción literaria que se define, debido a su naturaleza elíptica, por una permanente invitación a la relectura.

La canonización literaria de la minificción

Hay numerosas definiciones de minificción. Aquí considero como *minificción* los textos de narrativa literaria que no exceden el espacio de una página impresa. A continuación señalo algunos elementos indicativos del creciente interés que ha surgido por este género en los últimos años en cuatro áreas simultáneas de canonización literaria: la producción editorial, las antologías literarias, la formación de lectores y la investigación especializada.[119]

La canonización editorial

El primer índice de canonización de un género literario es la publicación de libros que contienen textos parcial o totalmente dedicados a él.

Durante la primera mitad del siglo XX se publicaron muy pocos volúmenes que contuvieran minificción, y en rigor ninguno dedicado exclusivamente al género, pues la narrativa se mezclaba con la poesía y el ensayo, la narrativa de tradición oral con textos literarios, y los textos muy breves con otros de extensión convencional.

---

[119]Las estrategias de canonización literaria han sido relativamente poco sistematizadas. Una reciente confrontación de estos criterios se puede encontrar en el volumen colectivo *Acerca del canon* (Susana Cella, comp.). Buenos Aires, Losada, 1998, especialmente en el trabajo de Adolfo Prieto, "Canon y literatura latinoamericana 1997", pp. 107-113.

Así, en estos primeros 50 años encontramos la arqueología del cuento mexicano en cuatro títulos representativos de este periodo: *Ensayos y poemas* (1917), de Julio Torri; *El plano oblicuo* (1920), de Alfonso Reyes; *Los hombres que sembró la lluvia* (1929), de Andrés Henestrosa, y *Varia invención* (1949), de Juan José Arreola, y algunos de estos títulos son ya imprescindibles en la historia de la literatura mexicana.

En las siguientes décadas (de 1950 a 1990) se publicaron cuatro títulos dedicados íntegramente a la minificción: *Bestiario* (1959), de Juan José Arreola; *La oveja negra y demás fábulas* (1969), de Augusto Monterroso; *Textos extraños* (1981), de Guillermo Samperio, y *Los oficios perdidos* (1983), de René Avilés Fabila.

Por otra parte, durante los primeros 90 años del siglo XX también sobresalen algunos narradores cuyas minificciones deben formar parte de la historia del género por el valor literario de sus textos, aunque lo exploraron sólo de manera ocasional. Ellos son, entre muchos otros, Inés Arredondo, Francisco Tario, Octavio Paz, Salvador Elizondo, José Agustín, Elena Poniatowska, Efrén Hernández, Sergio Golwarz, José Joaquín Blanco y José Emilio Pacheco.

Pero tan sólo en el periodo comprendido entre 1995 y 1999 se puede mencionar la publicación en la ciudad de México de al menos 25 títulos dedicados íntegramente a la minificción, de los cuales la tercera parte han sido escritos por autores nacidos fuera del país (en España, Guatemala, Chile, Francia, Uruguay, Brasil y Argentina).

Entre ellos sobresalen autores reconocidos en otros géneros, como en el cuento de extensión convencional (José de la Colina), la poesía (Ethel Krauze), el ensayo (Ignacio Trejo Fuentes), la novela (Martha Cerda), el periodismo cultural (Víctor Roura), la crítica literaria (Adolfo Castañón), la crítica de arte (Andrés de Luna), la crítica taurina (Marcial Fernández), la biografía literaria (Eusebio Ruvalcaba) o la narrativa infantil y juvenil (Mónica Lavín).

La canonización antológica

Las antologías son el ámbito por excelencia de la constitución de un canon, dentro y fuera del ámbito de la investigación universitaria. Cada propuesta antológica no sólo propone una estrategia de lectura de aquello que ha quedado necesariamente excluido, sino que también establece un criterio de valoración estética o incluso extraliteraria de los autores y textos antologados.

El inicio de la canonización del minicuento literario moderno en el contexto hispanoamericano se encuentra en la publicación de la antología de Jorge Luis Borges y Adolfo Bioy Casares, en Argentina (*Cuentos breves y extraordinarios*) en 1953,[120] y la de Edmundo Valadés, en México (*El libro de la imaginación*) en 1976.[121] En ambos volúmenes los compiladores seleccionaron numerosos fragmentos tomados de textos cuya extensión era originalmente mayor. Así, en los *Cuentos breves y extraordinarios* encontramos 110 textos, de los cuales la mayor parte provienen de memorias, crónicas de viaje, novelas fantásticas, ensayos filosóficos, tratados religiosos, compendios de fábulas, antologías de poesía, reconstrucciones históricas, informes financieros... y libros de cuentos.

Por su parte, *El libro de la imaginación* sigue una lógica similar, pero su extensión se triplica, llegando a contener 362 fragmentos provenientes de las más diversas fuentes, muchas de ellas extraliterarias. Estas antologías establecieron una tradición de lectura de fragmentos muy breves como textos con autonomía literaria. En realidad, se trata de un gesto muy contemporáneo, en el cual la mirada establece el valor literario del texto.

Pocos años después de la publicación de estas antologías se creó el primer premio de cuentos mínimos. Esto fue

---

[120]Jorge Luis Borges y Adolfo Bioy Casares, eds.: *Cuentos breves y extraordinarios. Antología*. Buenos Aires, Losada, 1997 (1953).
[121]Edmundo Valadés, ed.: *El libro de la imaginación*. México, Biblioteca Joven, Fondo de Cultura Económica, 1984 (1976).

en el año de 1980 en la revista *El Cuento*, creada por el escritor mexicano Edmundo Valadés en junio de 1939 en su primera etapa (y en 1984 en su segunda). Durante los últimos 20 años esta revista trimestral ha publicado cerca de 5000 minificciones provenientes de todas las tradiciones literarias.

En el caso de la minificción hay un elemento muy específico del género que hace de las antologías un *casus belli*, un objeto de discusión permanente, pues debido a su naturaleza proteica (es decir, a su hibridez genérica) es muy frecuente que un mismo texto de minificción sea considerado, de manera legítima, como narración, poema en prosa o ensayo. Por esta razón, muchas minificciones suelen encontrarse simultáneamente en las antologías de cada uno de estos géneros. Éste es el caso de las antologías de ensayo (la canónica de José Luis Martínez[122] o la de ensayo breve que lleva el título *Desocupado lector*),[123] las antologías de cuento (desde las de Emmanuel Carballo[124] y de Luis Leal[125] elaboradas en la década de 1950 hasta las más recientes de la década de 1990) y las antologías de poema en prosa en México.[126]

Durante los 25 años transcurridos desde la aparición de *El libro de la imaginación* se han publicado en español más de quince antologías de minificción, en cada una de las cuales sobresalen los textos provenientes de Argentina, México, Venezuela, Chile, Colombia y Uruguay.[127] Sin embargo, todavía

---

[122]José Luis Martínez, ed.: *El ensayo moderno en México*. México, Fondo de Cultura Económica, 2ª ed., 1971.

[123]Genaro González Henríquez, ed.: *Desocupado lector. El ensayo breve en México* (1954-1989). México, Verdehalago, 1998.

[124]Emmanuel Carballo, ed.: *Cuentistas mexicanos modernos*. México, Libro-Mex, 1956.

[125]Luis Leal, ed.: *Antología del cuento mexicano*. México, De Andrea, 1957.

[126]Luis Ignacio Helguera, ed.: *Antología del poema en prosa en México*. México, Fondo de Cultura Económica, 1993.

[127]Edna Brandenberger, ed.: *Cuentos brevísimos/Spanische Kürzest-geschichten*. Munich, Deutscher Tschenbuch Verlag, 1994; Raúl Brasca, ed.: *Dos veces bueno. Cuentos brevísimos latinoamericanos*. Buenos Aires, Instituto Movilizador de

no existe una antología dedicada exclusivamente a esta rica tradición en nuestro país, con excepción de la brevísima antología elaborada por René Avilés Fabila en 1970, en la que incluyó 20 textos de ocho autores mexicanos.[128]

La canonización escolar

La presencia y el tratamiento de un género de la escritura en los libros de texto y en los manuales didácticos que sirven de apoyo a los cursos es también un mecanismo de canonización. Y cuando esta canonización ocurre en los libros de educación elemental y secundaria, el fenómeno rebasa con mucho el ámbito estrictamente literario, pues atañe directamente a la formación de las futuras generaciones de lectores en el país. En particular, los libros de texto gratuitos que distribuye el Gobierno Federal en todo el país alcanzan tirajes de varios millones de ejemplares anuales, lo que los convierte en un referente necesario para entender este fenómeno que merece ser estudiado con detenimiento.

Fondos Cooperativos, 1996; R. Brasca, ed.: *2 veces bueno 2. Más cuentos brevísimos latinoamericanos*. Buenos Aires, Instituto Movilizador de Fondos Cooperativos, 1997; Juan Armando Epple, ed.: *Brevísima relación. Nueva antología del micro-cuento hispanoamericano*. Santiago de Chile, Editorial Mosquito Comunicaciones, 1999; Antonio Fernández Ferrer, Antonio, ed.: *La mano de la hormiga. Los cuentos más breves del mundo y de las literaturas hispánicas*. Alcalá, Universidad de Alcalá de Henares, Fugaz Ediciones, 1988; José Luis González, ed.: *Dos veces cuento. Antología de microrrelatos*. Madrid, Ediciones Internacionales Universitarias, 1998; Jiménez Emán, Gabriel, ed.: *Ficción mínima. Muestra del cuento breve en América*. Caracas, Fondo Editorial Fundarte, 1996; Alejandra Torres, ed.: *Cuentos breves latinoamericanos*. Buenos Aires, Coedición Latinoamericana, 1998; Lauro Zavala, ed.: *Relatos vertiginosos. Antología de cuentos mínimos*. México, Alfaguara, Colección Juvenil, 2000. Alfaguara, Colección Juvenil, 2000.

[128]René Avilés Fabila, ed.: *Antología del cuento breve del siglo XX en México*. Sección inicial del *Boletín* (núm. 7) de la Comunidad Latinoamericana de Escritores. México, 1970, pp. 1-22.

Actualmente, además de la presencia de minicuentos en los libros de educación elemental de autores como Julio Cortázar, Alfonso Reyes y Julio Torri, entre otros, también se incluyen fragmentos muy pequeños de narraciones de extensión convencional, de escritores como Martín Luis Guzmán, Juan Rulfo y Carlos Fuentes, todo ello como parte de una tradición ya canonizada por la crítica literaria.

Esta tradición podría estar aunada a la existencia de textos muy breves escritos para niños y jóvenes, pero en el país el acceso a materiales de lectura simultánea o incluso posterior a la experiencia de la educación elemental aún no es una actividad generalizada, lo que afecta a todas las formas y géneros de la escritura.

Por otra parte, en los manuales de escritura y redacción en general (y especialmente en los dirigidos a la creación literaria) la presencia de textos muy breves responde a las necesidades mismas del trabajo tallerístico.

La canonización académica

La estrategia más elaborada de canonización literaria ocurre en el terreno de la investigación especializada, es decir, en la atención que un determinado *corpus* literario recibe por parte de los investigadores dedicados al estudio de la producción textual.

En este terreno de la minificción, esta historia es todavía muy breve, pues la primera tesis doctoral sobre la materia fue presentada en la City University of New York en el año 1987. Se trata de "El micro-relato en México: Julio Torri, Juan José Arreola y Augusto Monterroso" y su autora es Dolores M. Koch.[129] Este trabajo ha servido como la referencia necesa-

---

[129]Dolores Koch: "El micro-relato en México: Julio Torri, Juan José Arreola y Augusto Monterroso". The City University of New York. Tesis doctoral, 1986, 232 p.

ria para las investigaciones posteriores, algunas de ellas elaboradas en Argentina, México, Venezuela, España y Estados Unidos; todos desarrollados durante la década de 1990, y la mayor parte de las cuales, al igual que la tesis mencionada, permanecen todavía inéditos.

Entre estos trabajos destaca la reciente tesis doctoral de Concepción Del Valle Pedrosa, en Madrid, quien en más de 500 páginas estudia diversos aspectos literarios de la microficción hispanoamericana.[130] También merecen ser mencionadas las tesis de grado y posgrado de Andrea Bell en la Universidad de Stanford (Estados Unidos); Laura Pollastri en la Universidad del Comahue (Argentina) y Karla Seidy Rojas en la Universidad Metropolitana (México).[131] Es interesante notar también la existencia de dos tesis de licenciatura en la Facultad de Estudios Literarios de la Universidad Autónoma del Estado de México, dedicadas, respectivamente, a "Continuidad de los parques", de Julio Cortázar, y a "El hereje rebelde", de Óscar de la Borbolla.[132]

Por otra parte, durante el Décimo Encuentro Internacional de Investigadores del Cuento Mexicano, organizado por la Universidad de Tlaxcala (en México), el director del Instituto de Investigaciones Semiolingüísticas y Literarias de la Univer-

[130] Concepción Del Valle Pedrosa: "Como mínimo. Un acercamiento a la microficción hispanoamericana". Universidad Complutense de Madrid. Tesis doctoral, 1997, 528 p.

[131] Andrea Bell: "The *cuento breve* in modern Latin American literature". Stanford University. Tesis doctoral, 1991, 224 p. (Venezuela, Argentina, Uruguay, Chile); Laura Pollastri: "Hacia una poética de las formas breves en la actual narrativa hispanoamericana: Julio Cortázar, Juan José Arreola y Augusto Monterroso". Universidad Nacional del Comahue, Neuquén, Argentina, 1989, 130 p.; Karla Seidy Rojas González: "Estrategias de lectura en el minicuento hispanoamericano". UAM Iztapalapa. Tesis de maestría, 2000.

[132] Antonio Cajero Vázquez: "El lector en *Continuidad de los parques*. Un cuento de Julio Cortázar". Universidad Autónoma del Estado de México, Tesis de Licenciatura en Letras Latinoamericanas, 1992; Carmina Angélica Quiroz Velázquez y Verónica Vargas Esquivel: "Una propuesta para desmitificar el Génesis 3". Universidad Autónoma del Estado de México, Tesis de Licenciatura en Letras Latinoamericanas, 1994.

sidad Veracruzana, José Luis Martínez, al presentar su ponencia sobre "El dinosaurio", de Augusto Monterroso, señaló la posibilidad de que alguien elaborara una edición crítica de este texto. Esta propuesta es más posible de lo que podría parecer a primera vista, pues hasta el momento existen más de 35 variantes, parodias, secuelas y pastiches estrictamente literarias, así como una docena de ensayos, estudios y análisis de este brevísimo texto de apenas siete palabras, y el cual ha sido incluido en al menos una docena de antologías publicadas en México, Italia, Argentina, Chile, Venezuela y España.[133] Esta abundancia de lecturas, por la naturaleza misma de la obra narrativa de Monterroso, no están exentas de humor, como es el caso de la propuesta en forma de crónica de Juan Villoro, quien señala las características que tendría una adaptación de este texto al medio operático.

También es posible señalar la publicación de numerosos libros y números monográficos de revistas especializadas dedicados al estudio de la minificción a partir de 1993, publicados respectivamente en Argentina, Chile, Estados Unidos, Francia, México y Venezuela, por estudiosos como Violeta Rojo, Ángela Pérez, Nana Rodríguez, Juan Armando Epple y David Lagmanovich, entre otros.[134]

Y debido a la naturaleza lúdica y experimental de la minificción, algunos de estos volúmenes están dedicados a estu-

[133]Cf. *El dinosaurio anotado. Edición crítica de "El dinosaurio" de Augusto Monterroso* (Lauro Zavala, ed.). México, Alfaguara Juvenil/UAM Xochimilco, 2002.

[134]R. Díaz y Carlos Parra: *Breve teoría y antología sobre el minicuento latinoamericano*. Neiva, Samán Editores (Colombia), 1993; Juan Armando Epple: *Brevísima relación sobre el cuento brevísimo*. Washington, Organización de Estados Americanos. Número especial cuádruple de la *Revista Interamericana de Bibliografía*, 1996. Contiene 12 estudios sobre el género y una antología de 100 minificciones hispanoamericanas; Nana Rodríguez Romero: *Elementos para una teoría del minicuento*. Tunja, Colibrí Ediciones (Colombia), 1996; Violeta Rojo: *Breve manual para reconocer minicuentos*. México, Universidad Autónoma Metropolitana, Azcapotzalco, 1997. Contiene una antología en las páginas 135-191; Ángela María Pérez Beltrán: *Cuento y minicuento*. Bogotá, Colombia, Página Maestra Editores, 1997. Contiene un estudio del género y una antología; Gracie-

para reconocer cuáles son las estrategias de lectura más atractivas o más efectivas con el grupo particular con el que está trabajando.

Así, por ejemplo, es posible incorporar un texto de la serie del *Bestiario* en algún seminario sobre minificción, en un taller de escritura, en un curso de enseñanza del español como lengua extranjera y en un curso de teoría del cuento, utilizando en cada caso las estrategias que aquí he llamado *genología fronteriza, reescritura personal, traducción comparativa y genología originaria*.

Veamos ahora, brevemente, cada una de estas estrategias, que son otras tantas ventanas para asomarse al universo literario, como otros tantos recipientes que permiten a cada lector saborear en la intimidad de la lectura aquellos textos que por convención llamamos *literatura*.

Aproximaciones de lectura pretextual y contextual

Con esta clase de estrategias se pretende despertar el interés por aquellos elementos que rodean al texto, como una forma de crear puentes entre el estudiante y el universo literario propuesto por el texto. Se trata, entre otras, de la genética textual, la historia crítica y la historia generacional.

Genética textual

Una posible aproximación a la lectura de un texto literario consiste en la exploración de las condiciones de producción de dicho texto. Esta estrategia de aproximación estética puede contextualizar al texto presentando materiales que permiten reconstruir el proceso creativo del autor. Estos materiales, que podríamos llamar *genéticos*, incluyen las cartas escritas por el autor durante la elaboración del material (como las incluidas en el reciente libro *Cartas de Julio Cortázar)*, los fragmentos del diario personal en los que se alude a esta creación (como algunos fragmentos de *La letra e*, de Augusto Monterroso) o los borradores que el autor preparó durante la escritura misma del texto (como las notas y los esquemas gráficos incluidos en la llamada *Bitácora de Rayuela*, del mismo Julio Cortázar) o los testimonios de quienes conocieron al autor y sus circunstancias durante el momento en el que éste elaboró el trabajo (como el interesante estudio sobre el proceso de transformación de un profesor de la Universidad de Cornell, donde Vladimir Nabokov enseñó varios años, hasta quedar convertido en el protagonista de su novela *Pnin*).[136]

Esto último es algo que también existe para algunos textos de Arreola, especialmente en sus memorias de carácter oral (*Memoria y olvido* y *El último juglar*).[137] En relación con el *Bestiario*, el escritor José Emilio Pacheco narra en su crónica "Amanuense de Arreola" (1998)[138] las circunstancias personales que rodearon a las sesiones de trabajo en las que Arreola fue elaborando y dictándole la mayor parte de los textos de esta serie, ante la sorprendida mirada de Pacheco. Aunque tres de los 23 textos ya habían sido escritos en 1951, la mayor parte fueron redactados entre el 7 y el 14 de diciembre de 1958, apenas a tiempo para cumplir con el plazo editorial establecido por la UNAM, donde se publicó con el título *Punta de plata*, acompañado de las ilustraciones de Héctor Xavier.[139]

---

[136]Galya Diment: *Pniniad: Vladimir Nabokov and Marc Szeftel*. University of Washington Press, 1997

[137]Orso Arreola: *El último juglar. Memorias de Juan José Arreola*. México, Diana, 1998; *Memoria y olvido. Vida de Juan José Arreola (1920-1947) contada a Fernando del Paso*. CNCA, 1994; Víctor Manuel Pazarín: *Arreola, un taller continuo*. Guadalajara, Editorial Ágata, 1995; Vicente Leñero: *¿Te acuerdas de Rulfo, Juan José Arreola? Entrevista en un acto*. Guadalajara, Universidad de Guadalajara/Proceso, 1987.

[138]José Emilio Pacheco: "Amanuense de Arreola. Historia del Bestiario", en *Tierra Adentro*, núm. 93, México, agosto-septiembre 1998, pp. 4-7.

[139]Hay una edición facsimilar publicada en 1997 por la UNAM.

Historia crítica

La transición del manuscrito original a la primera versión impresa y las versiones sucesivas de textos que forman parte del canon, suele ser una historia compleja. Pero además esta historia editorial está ligada a las formas de recepción producidas por la crítica a partir de la edición *princeps*.

Existen algunos estudios sobre estas formas de recepción para los cuentos de autores hispanoamericanos. En Venezuela se publicó en 1991 el estudio de Verónica Jaffé,[140] donde se estudia la respuesta en la prensa cotidiana de la crítica nacional ante la producción cuentística de la década de 1970. También en el contexto de la narrativa hispanoamericana, la colección Archivos de la UNESCO ha incluido en sus ediciones anotadas una sección sobre la recepción general de cada texto incluido en la colección.

En el caso del *Bestiario* es notable la sucesión de cambios que el *corpus* arreoliano ha sufrido. Apenas cuatro años después de la primera publicación de la serie, estos textos fueron incluidos en la compilación del *Confabulario total* (1941-1961), editado por el Fondo de Cultura Económica, y en 1972 se publicó la edición que aún sigue circulando, en Joaquín Mortiz, donde se han añadido los textos de la serie "Cantos de mal dolor", "Prosodia" y "Aproximaciones", con 28, 25 y 16 textos, respectivamente.[141] La lectura de la serie de textos sobre animales produce un efecto muy distinto si se lee ais-

---

[140]Verónica Jaffé: *El relato imposible*. Caracas, Monte Ávila / Centro de Estudios Latinoamericanos Rómulo Gallegos, 1990.

[141]En la versión de las *Obras*, de Juan José Arreola, elaborada y prologada por Saúl Yurkiévich en el Fondo de Cultura Económica (1995), la sección *Bestiario* incluye también 16 textos breves de la serie "Aproximaciones". Por otra parte, en la edición de 1971 de su *Confabulario total*, Arreola sólo incluyó el texto "Rinoceronte" de la serie Bestiario. Ésta es la versión que se reproduce en la edición anotada de Carmen de Mora, *Confabulario definitivo*. Madrid, Cátedra, 1987. Y también es la versión que se reprodujo con un tiraje de 100000 ejemplares en la edición en pasta dura de la serie Narrativa Mexicana Actual publicada por la Editorial Planeta en junio de 1999.

ladamente o acompañada de los demás textos breves en esta propuesta editorial elaborada por el autor.

Historia generacional

La crítica generacional ha sido severamente criticada durante las últimas décadas, por su naturaleza anecdótica y circunstancial. Sin embargo, puede ser utilizada para contribuir al reconocimiento contextual de una determinada obra.

En el caso del *Bestiario*, baste señalar la proximidad personal, geográfica, temperamental y literaria con autores que fueron muy próximos a Arreola, como Antonio Alatorre y Juan Rulfo, y aquellos otros escritores de la misma generación, aunque con proyectos literarios muy diferentes, como Carlos Fuentes y José Revueltas en México, o Gabriel García Márquez y Julio Cortázar en otras partes de hispanoamérica.[142]

Aproximaciones de lectura textual e intertextual

Es sabido que las aproximaciones al análisis textual e intertextual dependen cada vez más de las competencias y la enciclopedia de lectura de cada lector. Sin embargo, en el salón de clases se pueden vislumbrar estos horizontes de experiencia a partir de estrategias como la lectura simultánea, la reescritura personal y la traducción comparativa.

---

[142]Uno de los textos más interesantes de testimonio literario es el de José Donoso, en su *Historia personal del boom*. Barcelona, Anagrama, 1972; 2ª ed. con apéndice del autor, y "El boom doméstico", de María Pilar Serrano. Barcelona, Seix Barral, 1983.

Lectura simultánea

Esta aproximación permite utilizar elementos de análisis textual de carácter genérico. Así, por ejemplo, el análisis de cuentos puede apoyarse en el reconocimiento de elementos como título, inicio, personajes, tiempo, espacio, narrador, lenguaje, ideología, intertextualidad y final.

En el caso particular del *Bestiario*, una lectura simultánea debe dar cuenta de la naturaleza proteica de estos textos, pues forman un sistema de poema en prosa que puede dar lugar al reconocimiento de estrategias de alegorización barroca en ocasiones casi intraducible a otras lenguas.

Reescritura personal

Aunque ésta es una estrategia utilizada en los talleres de creación literaria, sin embargo puede ser útil para reconocer y familiarizarse de manera directa con el estilo de un texto. Así, al tratar de re-escribir la continuación de un texto a partir de una frase específica (a la manera del autor), permite al lector una recreación de este estilo, y lo lleva a efectuar una apropiación personal.

El *Bestiario*, lo mismo que otras series de textos breves, permite esta recreación del estilo de un autor a partir de elementos que quedaron fuera de la serie. Esta forma de lectura como recreación puede ser practicada también al estudiar otros textos del género, en este caso, los bestiarios elaborados por diversos autores.[143]

---

[143]En la tradición europea puede consultarse el extraordinario trabajo coordinado por Massimo Izzi: *Diccionario ilustrado de los monstruos. Ángeles, diablos, ogros, dragones, sirenas y otras criaturas del imaginario.* Palma de Mallorca, José J. de Olañeta, ed., 1996 (1989), 541 p. Por otra parte, otros materiales tienen un carácter más literario, como el de Franz Kafka: *Bestiario. Once relatos de animales.* Barcelona, Editorial Anagrama, Panorama de narrativas, núm. 190. Edición de Jordi Llovet, 1990.

Traducción comparativa

Todos los textos de la serie del *Bestiario* están traducidos al inglés, y precisamente en los cursos de traducción o de enseñanza del inglés o del español como lengua extranjera, la comparación entre las posibles traducciones de cada lector y las de la traducción existente, permiten reconocer de manera muy precisa cómo una de las características del poema en prosa es precisamente su necesaria polisemia.[144]

Aproximaciones a la lectura architextual y subtextual

El reconocimiento de las reglas de género es un ejercicio de generalización que ofrece herramientas para establecer vínculos entre el texto leído y otros textos con rasgos similares, y la lectura subtextual también puede ser entendida como una variante de la lectura intertextual. Estamos, entre otras aproximaciones, ante la genología originaria, la genología fronteriza, la genología específica y la subtextualidad alegórica.

Genología originaria

Esta aproximación permite reconocer la especificidad del texto desde la perspectiva de la teoría tradicional de los géneros literarios (poesía, ensayo, narrativa). En el caso del *Bestiario* se trataría de reconocer los elementos específicos del poema en prosa. Para ello puede ser útil recurrir a algunos de los estudios sobre la naturaleza proteica del género.[145]

---

[144]Existe una traducción del *Bestiario* al inglés: *Confabulario and Other Inventions*. George D. Schade, translator. University of Texas Press, 1964, 263 p.

[145]Jesse Fernández: "El poema en prosa: principios teóricos generales", en *El poema en prosa en hispanoamérica. Del Modernismo a la vanguardia. Estudio y antología*. Madrid, Hiperión, 1994, pp. 23-37; Luis Ignacio Helguera: "Estudio preliminar" a su *Antología del poema en prosa en México*. Fondo de Cultura Económica, 1993, pp. 7-61.

Genología fronteriza

Aquí se trata de reconocer la naturaleza híbrida y proteica de los textos del *Bestiario,* ligados a su naturaleza de relato ultra-corto, a medio camino entre la narración y la pura alegoría fabulística.[146]

Genología específica

El *Bestiario* de Arreola forma parte de la tradición de los bestiarios hispanoamericanos, donde se antropomorfiza lo natural, en oposición a la tradición de los bestiarios europeos, donde se proyectan rasgos bestiales a figuras humanas.[147]

Éste es el caso de las fábulas paródicas de Augusto Monterroso (Guatemala), los ejercicios de zoología fantástica de Jorge Luis Borges (Argentina)[148] y las series de animales fabulosos de René Avilés Fabila (México), todos los cuales for-

[146]En la tradición hispanoamericana es conveniente señalar la utilidad del trabajo de Raúl Aceves (comp.): *Diccionario de bestias mágicas y seres sobrenaturales de América.* Universidad de Guadalajara, 1995 y el estudio y antología de Mireya Camurati: *La fábula en hispanoamérica.* México, UNAM, 1978. Y también numerosos trabajos canónicos, entre ellos el de Gonzalo Fernández de Oviedo: *Bestiario de Indias* (fragmento de *Sumario de la natural historia de las Indias,* FCE, 1950). México, Fondo de Cultura Económica, 1999; Marco Antonio Urdapilleta: *Bestiario de Indias.* Toluca, UAEM, 1995.

[147]Entre los trabajos de carácter más literario publicados en México en la década de 1990 destacan el *Álbum de zoología,* de José Emilio Pacheco. México, El Colegio Nacional, 1998 (1985); *Los animales prodigiosos,* de René Avilés Fabila. México, UAM-X, 1997 (1989); *Amores enormes,* de Pedro Ángel Palou. Gobierno del Estado de Guanajuato, 1991; *El recinto de animalia,* de Rafael Junquera. Xalapa, Ediciones Revista Cultura de Veracruz, 1999.

[148]Los bestiarios de carácter literario más importantes en la narrativa hispanoamericana son, entre otros, el de Jorge Luis Borges: *Manual de zoología fantástica.* México, FCE, Breviarios, núm. 125, 1957; Julio Cortázar: *Bestiario.* México, Nueva Imagen, 1981 (1951); *La oveja negra y demás fábulas.* México, Editorial Joaquín Mortiz, 1969; Ricardo Cantalapiedra: *Bestiario urbano.* Santiago de Chile, Fondo de Cultura Económica, 1987; Juan Manuel Gómez, comp.: *Bestiario contemporáneo.* CNCA/Fonca/IPN/UAM-A/La Crónica, 1999.

man parte de una tradición que se inició en la escritura de los cronistas de Indias y que ahora se anuncia como parte de la escritura hipertextual del tercer milenio. Véanse al respecto los trabajos de Laura Pollastri y Saúl Yurkiévich.[149]

Subtextualidad alegórica

Esta aproximación permite reconocer la visión del mundo y de la literatura que se propone en estos textos, especialmente en su conjunto. La visión más bien pesimista, centrada en la sensación de incomunicación y soledad, queda matizada por el sentido casi eufórico del sistema de metáforas construidas a lo largo de estas viñetas.[150]

Conclusión

Estas notas parten de la convicción de que no es posible en realidad "enseñar" literatura, y que en el mejor de los casos, lo que ocurre en un salón de clases consiste en propiciar en los estudiantes la posibilidad de apreciar la riqueza estética de los textos literarios, precisamente a partir de su propia perspectiva personal. En otras palabras, quien practica la didáctica literaria es tal vez alguien que logra invitar a los alumnos a convertirse, por su propia iniciativa, en investigadores de la literatura.

[149]Saúl Yurkiévich: "Humana animalidad, en Juan José Arreola", en *Formes breves de l'expression culturelle en Amérique Latine de 1850 à nos jours*. Tome 1: *Poétique de la forme breve, Conte, Nouvelle*. París, Presses de la Sorbonne Nouvelle, *América*, núm. 18, CRICCAL, 1997, pp. 195-201; Laura Pollastri: "De animales y otras invenciones", en "Hacia una poética de las formas breves en la actual narrativa hispanoamericana: Julio Cortázar, Juan José Arreola y Augusto Monterroso", Universidad Nacional del Comahue, 1991, pp. 36-59.

[150]Por otra parte, también hay una importante tradición lúdica de carácter alegórico, como el caso de *The Academic Bestiary*, de Richard Armour (New York, William Morrow, 1974).

¿Cuántos tipos de minificción hay en Arreola?

Ahora bien, si el término *minificción* es utilizado para hacer referencia a narraciones extremadamente breves, por extensión se ha empezado a utilizar también para hacer referencia a los subgéneros literarios de la escritura igualmente breve.

Las formas de escritura mínima que encontramos en Arreola pueden ser agrupadas en más de treinta subgéneros. Algunos de ellos son literarios, mientras que otros tienen un origen extra-literario y son incorporados por Arreola a algún proyecto de escritura que les otorga un carácter literario.

Entre los primeros encontramos minicuentos, microrrelatos, microensayos, minicrónicas, artículos (entre opinión y testimonio), fábulas (alegoría moralizante), prosas poéticas, epigramas, sonetos, articuentos (entre artículo ensayístico y cuento), apólogos, ejemplos, ecfrasis y parábolas.

Entre los segundos encontramos definiciones, instructivos, entradas de diario, confesiones, anécdotas, viñetas, aforismos, acertijos, parábolas, palíndromos, autorretratos, chistes, dedicatorias, prefacios, solapas, adivinanzas, reflexiones filosóficas, mitos y juegos verbales. Esta sorprendente diversidad es lo que lleva a utilizar un término arreoliano como *varia invención*.

¿Minicuentos o microrrelatos?
El problema de los géneros

Los autores más importantes en la historia de la minificción mexicana son, sin duda, Julio Torri, Juan José Arreola y Augusto Monterroso, quienes constituyen el paradigma A.T.M. de la minificción mexicana.

Aunque la minificción surgió a principios del siglo xx, ha sido durante la última década cuando ha llegado a ser reconocida como un género por derecho propio. Para entender la importancia capital de la escritura arreoliana conviene detenerse un momento en la distinción entre minicuento y minirrelato, precisamente como las variantes fundamentales de la minificción.

Para ser microrrelato (en lugar de minicuento), un texto debe tener un carácter genéricamente híbrido con dominante narrativa, donde se entremezclan elementos ensayísticos (como en Julio Torri o Hugo Hiriart), elementos paródicos (como en Augusto Monterroso o Lazlo Moussong) o elementos poéticos (como en Octavio Paz o en el mismo Juan José Arreola). Por lo tanto, se trata de textos que continúan la tradición del fragmentarismo iniciado en las vanguardias (Oliverio Girondo, Macedonio Fernández, Felisberto Hernández, Julio Garmendia, Vicente Huidobro, etcétera), y son textos generalmente irónicos, estructuralmente polisémicos, virtualmente alegóricos, narrativamente abiertos. En una palabra, los microrrelatos son *relatos* y no *cuentos* en la medida en que son narraciones modernas, es decir, experimentales, irrepetibles, inclasificables.

El problema taxonómico se inicia al observar que muchos poemas en prosa pueden ser leídos como *relatos*, es decir, como microrrelatos. La teoría posmoderna de la recepción (o sea, la teoría de la lectura como un acto productivo) reconoce esta clase de fenómenos (ligados a la intertextualidad que cada lector proyecta sobre el texto que lee), y señala la paradoja de que no necesariamente hay múltiples textos, sino más bien múltiples lecturas de textos. Por ejemplo, no sólo existen textos posmodernos (a la vez clásicos y polisémicos, narrativos y poéticos, etc.), sino también lecturas posmodernas de textos. Esto significa que un poema en prosa puede ser leído como poema, como ensayo, como minicuento (clásico), como microrrelato (moderno) o como minificción (posmoderna, es decir, simultáneamente todo lo anterior). Este último puede ser el caso de cada uno de los textos del *Bestiario*, de Arreola... muy distinto de los minicuentos de José Emilio Pacheco en su *Inventario*.

Independientemente de lo anterior, en la tradición crítica hispanoamericana se ha llegado a utilizar el término *micro-*

rrelato para dar cierta dignidad al estudio de estos textos, es decir, para no utilizar un término que pudiera parecer trivial (*minicuentos*). Y además, se ha elegido el término *relato* (en microrrelato) por ser una palabra con una fuerte carga polisémica, ya que suele utilizarse para hacer referencia a algo que es menos que un cuento (como una narración oral, de carácter casual) o a algo que es más que un cuento (como una narración fragmentaria, experimental o poética). Aunque en ambos casos es distinto de un cuento. Muchos de los textos de Pacheco, Torri, Monterroso o Arreola son, simplemente, cuentos extremadamente breves.

Los microrrelatos, es decir, las formas de minificción experimental, moderna, pueden ser considerados como un género propio (un género nuevo) o como parte de una tradición de ruptura literaria, es decir, como un subgénero derivado de algún género clásico, como el cuento o la novela. Considerar a los microrrelatos como un subgénero significa reconocer sus raíces literarias. Sin embargo, es necesario responder la siguiente pregunta: ¿el microrrelato es un subgénero de la poesía, del ensayo, de la narrativa o de otras formas breves, como la parábola? Más aún, si es un subgénero de la poesía, ¿pertenece a la poesía conversacional, a la poesía narrativa, al poema en prosa? Y una vez resuelto este problema para cada texto particular, ¿qué distingue al microrrelato de los otros subgéneros? Parece evidente que la respuesta debe ser casuística y, por lo tanto, se anula como categoría genérica, a menos que la definición sea una petición de principio, y por ello mismo, tampoco resulta sostenible.

Por otra parte, considerar al microrrelato como un género nuevo tiene el riesgo de olvidar sus raíces históricas. Por eso, en lugar de llamarlo un género *nuevo* (lo cual significa enfatizar su dimensión moderna, original y experimental), tal vez conviene considerarlo como un género polisémico, susceptible de diversas lecturas genéricas. Esta forma de lectura sí es algo nuevo, es un efecto secundario de la modernidad literaria, de las vanguardias hispanoamericanas y de la fragmentariedad experimental. Es algo que nació con el siglo XX, con el poema en prosa y, en el caso de la literatura mexicana, con los primeros textos mínimos de Torri. Y es un género que se ha multiplicado, diversificado y complejizado hasta llegar a los hipertextos fractales, la narrativa aleatoria y la escritura ergódica (hipertextual) que han hecho posibles las nuevas tecnologías.

Esta última es una escritura fragmentaria o, para emplear un término de la retórica aristotélica, es una escritura paratáctica, es decir, donde cada fragmento es autónomo y puede ser combinado con cualquier otro dentro de una serie creada durante el acto de leer. Precisamente como ocurre durante la lectura de las minificciones de Arreola.

Arreola y la minificción mexicana

Entre los más destacados escritores de minicuento en México es necesario mencionar a Mariano Silva y Aceves, Alfonso Reyes, Andrés Henestrosa, Inés Arredondo, Edmundo Valadés, Julio Torri, René Avilés Fabila y José de la Colina.

Algunos de ellos escriben minicuentos con carácter alegórico (Mariano Silva y Aceves, Alfonso Reyes, Andrés Henestrosa). Otros escriben minicuentos fantásticos con un lenguaje que debe mucho a la práctica continua del periodismo (Edmundo Valadés y René Avilés Fabila). Y otros más tienen una escritura densamente intertextual, como es el caso de Julio Torri y José de la Colina.

Los escritores mexicanos más próximos a Arreola por temperamento literario, o sea, los autores de microrrelatos con carácter poético, son Octavio Paz, Salvador Elizondo y Guillermo Samperio.

Y entre los escritores mexicanos de minificciones posmodernas podemos señalar la importancia de Felipe Garrido, Augusto Monterroso, Hugo Hiriart, Martha Cerda y Mónica Lavín.

siglo XX. Y precisamente en un género (la minificción) en el que México se ha destacado en el terreno internacional, como se puede observar en las más de veinte antologías de minificción publicadas en varios países en los últimos diez años.

Arreola, entonces, es un escritor paradigmático, precisamente porque no cabe en ningún esquema predeterminado. Y cuyos lectores aumentan cada día.

ENSEÑANZA E INVESTIGACIÓN

Investigación y didáctica de la literatura en México

En México, la mayor parte de la investigación y la crítica literaria están orientadas a la apreciación y el estudio de textos y autores específicos. Este énfasis en lo particular ha llevado a descuidar otros terrenos igualmente necesarios para el conocimiento y la apreciación de los textos literarios.

En otras palabras, al estudiar los principales ensayos, antologías, historias, análisis, entrevistas, biografías, testimonios, traducciones, glosarios, bibliografías, talleres, revistas y congresos producidos durante los últimos 50 años en relación con la narrativa breve en México, resulta evidente que la tradición de los estudios sobre cuento se ha confinado a dos terrenos casi exclusivos: la historiografía literaria, y la crítica de autores y de textos individuales.

Y aunque todo estudio panorámico se debe iniciar con una revisión histórica, sin embargo la historiografía dedicada al cuento se ha desarrollado de manera fragmentaria. Aunque en algunos casos la historiografía del cuento ha tenido recientemente un desarrollo notable (especialmente en Argentina, España y Venezuela), aún es necesario atender otras áreas de la investigación, además de la historiografía.

En síntesis, aún hay numerosos terrenos que esperan ser explorados de manera sistemática, en particular en lo relativo a la *teoría*, la *historia*, la *difusión* y las *fronteras* del cuento. Pero el campo donde la ausencia de investigación especializada resulta crucial es el terreno clave de la *enseñanza* del cuento, es decir, la investigación sobre las estrategias didácticas que son utilizadas dentro del salón de clases para la formación de profesores e investigadores de literatura.[154]

A continuación señalo las principales áreas de la investigación literaria que aún no tienen un desarrollo suficiente en el país, y que podrían contribuir al conocimiento y la difusión del cuento mexicano.

Teoría del cuento:
a) Cánones genéricos
b) Métodos de análisis
c) Modelos de interpretación

Historia del cuento:
a) Procesos de recepción
b) Periodización historiográfica
c) Escrituras regionales

Difusión del cuento:
a) Traducción del cuento escrito en idiomas extranjeros
b) Traducción del cuento mexicano a otros idiomas
c) Antologías de cuento
d) Adaptaciones cinematográficas
e) Cuentistas que escriben sobre otros cuentistas
f) Biografías y entrevistas

Enseñanza del cuento:
a) Estrategias didácticas
b) Programas de estudio
c) Glosarios para el estudio del cuento
d) Bibliografías actualizadas
e) Talleres de cuento
f) Poéticas personales

[154]Los talleres de creación literaria son un terreno muy distinto del terreno de la formación de investigadores, por lo que requieren ser considerados por separado. El terreno de la creación atañe principalmente a las *poéticas personales de los cuentistas* (a las que algunos editores llaman *teorías del cuento*, aun cuando no son teorías propiamente dichas) y a las estrategias para la escritura literaria. Este terreno queda fuera de estas notas.

Fronteras del cuento:
a) Minificción
b) Hipertextos
c) Metaficción

En las notas que siguen me detendré brevemente en una de estas áreas, la llamada *didáctica de la literatura*, especialmente en lo relativo a la formación de investigadores.

La formación de investigadores en literatura

La docencia literaria siempre parte de la lectura de textos concretos. Sin embargo, es importante recordar que la lectura de un texto por sí solo es casi siempre insuficiente para despertar el interés por profundizar en su lectura entre lectores poco experimentados. Esto es algo similar a lo que ocurre con un objeto cualquiera en una exposición museográfica, ya que el objeto nunca habla por sí solo; es la museografía la que invita al visitante a poner mayor atención en alguna de las muchas posibles historias que el objeto puede llegar a contar, gracias a la puesta en escena museográfica.[155]

Sin duda la mejor manera de formar investigadores consiste en ser un buen investigador. Sin embargo, reducir un curso a compartir con los estudiantes las experiencias, procesos y resultados de la investigación propia tiene el riesgo de que los estudiantes no lleguen a desarrollar sus propias formas de aproximarse a los textos como investigadores independientes, o bien que tengan dificultad para trabajar con textos muy distintos a los estudiados en clase.

Si tomamos en cuenta que más del 50% de la investigación que se produce en el país es generada en la Universidad Nacional (incluyendo la investigación literaria, filológica y re-

---

[155]Esta tesis es desarrollada en el libro colectivo de R. Miles y L. Zavala, eds.: *Towards the Museum of the Future*. London, Routledge, 1994; y en L. Zavala *et al.*: *Posibilidades y límites de la comunicación museográfica*. México, UNAM, 1993.

tórica), entonces conviene recordar que la estructura institucional de la misma UNAM propicia una separación formal entre docencia e investigación. De tal manera que mientras la investigación y la formación de investigadores se concentra en los institutos, las escuelas y facultades se concentran en la docencia para la formación profesional.

Tal vez esta separación artificial ha propiciado que haya poca reflexión e investigación acerca de la docencia. Para acentuar este abandono de la investigación sobre didáctica, en la misma UNAM se disolvió en 1996 el Centro de Investigaciones y Servicios Educativos (CISE) y se creó en su lugar un Centro de Estudios sobre la Universidad (CESU), cuyo interés principal está orientado a la historia de la UNAM y no al desarrollo de la práctica docente.[156]

El prestigio de la Facultad de Filosofía y Letras se ha derivado de que en sus aulas han impartido cursos algunos de los escritores más importantes del país. Este hecho, de por sí notable, ha producido una peculiar actitud anti-académica por parte de sus profesores, la mayor parte de los cuales son egresados de esos mismos cursos. Es necesario recordar que el objetivo de un centro de estudios superiores no es la formación de escritores, sino de investigadores, y de quienes habrán de formar a las generaciones de lectores lúdicos. Por otra parte, la calidad de la educación superior está inevitablemente ligada a las experiencias en la formación preuniversitaria.[157]

Como quiera que sea, la investigación sobre didáctica literaria en nuestros países es muy escasa, y apenas en 1998 se creó la Asociación Mexicana de Profesores de Lengua y Literatura (AMPLL), que agrupa a profesores de nivel universitario y preuniversitario. Esta asociación llegó a contar a fines

---

[156]El CISE publicaba la revista *Perfiles Educativos,* cuyo núm. 68 (1996) estuvo dedicado al tema *La enseñanza de la literatura.*

[157]En México ya hay una incipiente investigación sobre la didáctica de la literatura a nivel preuniversitario. Cf. Francisco González Gaxiola, ed.: *La enseñanza de la literatura.* Universidad Autónoma de Sonora, 1995.

gráfica. Es notable el hecho de que en los países donde está muy desarrollada (especialmente Francia, Estados Unidos, Italia, Inglaterra y España), esta tradición tuvo un origen fuertemente marcado por los orígenes humanísticos, en particular por los investigadores de la narrativa literaria.

Breves observaciones generales

En los estudios universitarios, los docentes de literatura cuentan con la enorme ventaja de que todos los estudiantes han llegado a esta carrera como consecuencia de una elección vocacional, lo cual significa que el trabajo de docencia consiste básicamente en estimular, orientar, apoyar y propiciar el desarrollo de esta vocación. Esto difiere radicalmente de lo que ocurre en otros niveles de estudio, donde la literatura es una materia obligatoria, cuya lectura persigue objetivos muy precisos, y donde no hay mucho espacio para que cada estudiante explore sus propios recursos y sus propios intereses en la lectura de los textos.

En términos pedagógicos, esto último significa que mientras algunos estudiantes son más sensibles al texto seleccionado por el profesor para una clase particular (o a otros textos fuera del curso) a partir de una determinada estrategia, en cambio otros estudiantes serán más sensibles a otras estrategias, incluidas o no aquí.

En todos los casos, el punto de partida de estas propuestas consiste en reconocer que afortunadamente en todo salón de clases existe una inabarcable multiplicidad de sensibilidades personales, necesidades de desarrollo, condiciones previas, apetencias estéticas, formación personal e información literaria, y que sin esta multiplicidad sería impensable una discusión verdaderamente productiva para la formación de los investigadores.

100 libros de cuento mexicano: 1952-2003

Elaborar una relación de libros de cuento sobresalientes en un lapso de 50 años es un proyecto siempre riesgoso, especialmente en lo relativo a los años más recientes. Sin embargo, creo que todo lector tiene el derecho de manifestar sus preferencias de lectura, en particular cuando se trata, como en este libro, de proponer una conversación con otros lectores del cuento mexicano.

Tal vez debo mencionar que mis dudas acerca de la inclusión de algunos títulos (en lugar de otros) se multiplican geométricamente en el periodo que se inicia hace 25 años. Y en los últimos 8 años he seleccionado exclusivamente volúmenes donde se han reunido los cuentos completos de diversos escritores.

De cualquier manera, he decidido presentar aquí esta relación personal de títulos porque creo que esta selección es consecuencia indirecta de los presupuestos contenidos en el resto del libro. Estoy seguro de que cada lector habrá de confrontar esta relación de títulos entrañables con la suya propia, lo cual puede resultar útil y placentero.

Durante estos últimos 50 años se publicaron más de 1,500 títulos de cuento en México, como puede observarse en el imprescindible trabajo de Russell M. Cluff, *Panorama crítico-bibliográfico del cuento mexicano, 1950-1995* (Universidad Autónoma de Tlaxcala, 1997, 382 p.). Esto significa, naturalmente, que aquí sólo he incluido uno de cada quince títulos publicados durante este periodo.

Los libros que se señalan a continuación ya forman parte del canon. Muchos de los cuentos contenidos en estos libros han sido estudiados, analizados y antologados en diversas ocasiones. Y sobre todo, son leídos y releídos. Los lectores y escritores de las siguientes generaciones habrán de transitar por éstos y muchos otros cuentos.

Por razones de espacio, aquí he incluido sólo uno o dos títulos por autor. Primero presento los títulos en orden cronológico, y después siguiendo el orden alfabético por autores. En el segundo caso he marcado con asterisco las compilaciones y antologías de cuentos de un autor, señalando la editorial respectiva y, en ocasiones, dos de los títulos más destacados de su producción.

Esta lista es inevitablemente parcial. Cada lector termina por elaborar (y reelaborar continuamente) su propio perfil de lectura. Pero, de acuerdo con el consenso de la crítica, todos los títulos incluidos aquí contienen cuentos memorables.

1951: *¿Águila o sol?* (Octavio Paz)
1952: *Confabulario* (Juan José Arreola)
1953: *El llano en llamas* (Juan Rulfo)
1954: *Los días enmascarados* (Carlos Fuentes)
1954: *El ardiente verano* (Mauricio Magdaleno)
1955: *La muerte tiene permiso* (Edmundo Valadés)
1956: *La cena y otras historias* (Alfonso Reyes)
1957: *La obligación de asesinar* (Antonio Helú)
1958: *Tiene la noche un árbol* (Guadalupe Dueñas)
1959: *Bestiario* (Juan José Arreola)
1959: *Benzulul* (Eraclio Zepeda)
1959: *Cuentos mexicanos (con pilón)* (Max Aub)
1959: *Obras completas (y otros cuentos)* (Augusto Monterroso)
1959: *Tiempo destrozado* (Amparo Dávila)
1960: *Dormir en tierra* (José Revueltas)
1961: *El nombre es lo de menos* (Carlos Valdés)
1962: *Los muros enemigos* (Juan Vicente Melo)
1964: *Los convidados de agosto* (Rosario Castellanos)
1964: *Cantar de ciegos* (Carlos Fuentes)

Garrido, Felipe: *La musa y el garabato* (1992)
Garro, Elena: *La semana de colores* (1964)
Golwarz, Sergio: *Infundios ejemplares* (1969)
Helú, Antonio: *La obligación de asesinar* (1957)
(*) Hernández, Efrén: *Obras* (poesía, novela, cuento) (1965)
Hinojosa, Francisco: *Informe negro* (1987)
Hiriart, Hugo: *Disertación sobre las telarañas y otros escritos* (1980)
Ibargüengoitia, Jorge: *La ley de Herodes* (1967)
Jacobs, Bárbara: *Doce cuentos en contra* (1982)
Lara Zavala, Hernán: *De Zitilchén* (1981)
(*) Leñero, Vicente: *Puros cuentos* (1986)
López Moreno, Roberto: *Las mariposas de la tía Nati* (1973)
Magdaleno, Mauricio: *El ardiente verano* (1954)
Martínez de la Vega, Pepe: *Las aventuras del detective Peter Pérez* (1987)
Mastretta, Ángeles: *Mujeres de ojos grandes* (1990)
Medina, Dante: *Léérere* (1986)
Melo, Juan Vicente: *Los muros enemigos* (1962)
Mendoza, María Luisa: *Ojos de papel volando* (1985)
Molina, Silvia: *Dicen que me case yo* (1989)
Monsreal, Agustín: *Sueños de segunda mano* (1983)
Monterroso, Augusto: *Obras completas (y otros cuentos)* (1959)
——: *Movimiento perpetuo* (1972)
Morábito, Fabio: *La lenta furia* (1989)
Moussong, Lazlo: *Castillos en la letra* (1986)
Muñiz-Huberman, Angelina: *Las confidentes* (1997)
Pacheco, José Emilio: *El principio del placer* (1972, 1996)
Palou, Pedro Ángel: *Amores enormes* (1992)
Parra, Eduardo Antonio: *Los límites de la noche* (1996)
Paz, Octavio: *¿Águila o sol?* (1951)
Pérez Gay, Rafael: *Me perderé contigo* (1988)
Pettersson, Aline: *Más allá de la mirada* (1992)
(*) Pitol, Sergio: *Todos los cuentos*. Alfaguara, 1998
Poniatowska, Elena: *De noche vienes* (1979)
(*) Ramírez Heredia, Rafael: *La condición del tiempo. Cuentos*. FCE, 2003

Revueltas, José: *Dormir en tierra* (1960)

——: *Material de los sueños* (1974)

Reyes, Alfonso: *La cena y otras historias* (1956)

(*) Rojas González, Francisco: *Cuentos completos*. FCE, 1971

(*) Rossi, Alejandro: *Diario de guerra*. 1994

Rubín, Ramón: *Las cinco palabras* (1969)

——: *Cuentos del mundo mestizo* (1985)

Rulfo, Juan: *El llano en llamas* (1953)

Ruy Sánchez, Alberto: *Los demonios de la lengua* (1987)

(*) Sada, Daniel: *Todo y la recompensa. Cuentos completos*. Debate, 2002

(*) Samperio, Guillermo: *Cuando el tacto toma la palabra. Cuentos*, 1974-1999. FCE, 2000 (*Gente de la ciudad*, 1988/*Cuaderno imaginario*, 1990)

Seligson, Esther: *Sed de mar* (1987)

——: *Luz de dos* (1978)

Serna, Enrique: *Amores de segunda mano* (1991)

Taibo II, Paco Ignacio: *El regreso de la verdadera araña* (1988)

(*) Tario, Francisco: *Cuentos completos*. Lectorum, 2004 (*Tapioca Inn. Mansión para fantasmas*, 1952/*Una violeta de más. Cuentos fantásticos*, 1968)

Torres, Juan Manuel: *El viaje* (1989)

(*) Torri, Julio: *De fusilamientos y otras narraciones*. Lecturas Mexicanas, SEP, 1964

Toscana, David: *Historias del Lontananza* (1997)

Valadés, Edmundo: *La muerte tiene permiso* (1955)

Valdés, Carlos: *El nombre es lo de menos* (1961)

Villoro, Juan: *Tiempo transcurrido. Crónicas imaginarias* (1986)

Zepeda, Eraclio: *Benzulul* (1959)

——: *Asalto nocturno* (1976)

cuentos originalmente publicados entre 1940 y 1980. En esta antología se han incluido cuentos sobre la cultura religiosa popular, diversos relatos situados en el contexto de la vida cotidiana urbana, en especial con protagonistas adolescentes, y cuentos policiacos o fantásticos, sobre las formas del poder cotidiano, sobre el deporte, el amor y distintas formas de la aventura.

La antología preparada por Vicente Francisco Torres para la revista *La Palabra y el Hombre*, publicada en Xalapa por la Universidad Veracruzana, incluye 22 cuentos publicados durante en el periodo 1975-1990. Con esta selección se pretende mostrar la existencia de una continuidad entre la escritura de estos cuentistas y la narrativa escrita durante la segunda mitad de la década de 1960, es decir, durante el periodo en el que surgió lo que se ha llamado la Escritura de la Onda. También se incluyen algunas muestras de la narrativa surgida durante los últimos años cuyas historias transcurren en diversas regiones, especialmente en el desierto y en la zona fronteriza. Por otra parte, esta revista es actualmente una de las publicaciones humanísticas con mayor difusión en el ámbito universitario nacional e internacional.

La antología compilada por Reginald Gibbons, publicada por la revista norteamericana *TriQuarterly*, es importante por ser la primera recopilación de literatura mexicana publicada en inglés durante este periodo. Ésta comprende la traducción de los poemas de 30 autores, y la ficción de 26 cuentistas, todos ellos nacidos después o alrededor de 1945. Algunos de los cuentistas incluidos no son todavía muy conocidos en México. También es importante señalar que fueron contempladas nueve mujeres, es decir, casi la tercera parte del total. El interés que despertó esta antología permitió que circulara en algunas librerías de la ciudad de México poco después de su publicación.

El hecho de que haya sido también en 1992 cuando se editó otra antología traducida al inglés de cuentos y poemas de escritores mexicanos contemporáneos —en esta ocasión por parte de la revista *Manoa*, publicada por la Universidad Estatal de Hawai, y cuyo editor invitado fue Hernán Lara Zavala— tal vez se deba al surgimiento de un campo reciente de estudio en las universidades norteamericanas, conocido como Estudios Culturales (Cultural Studies), centrado en la producción cultural de los países hasta hace pocos años considerados como periféricos desde la perspectiva europea. Esta antología incluye diez cuentos y cinco poemas de casi la tercera parte de los escritores incluidos en la antología publicada por la revista *TriQuarterly*, todos ellos precedidos por un ensayo de Ignacio Trejo Fuentes acerca de las "nuevas direcciones en la narrativa mexicana contemporánea".

Durante la Feria Internacional del Libro que tuvo lugar en Francfort durante 1992 se dedicó el pabellón central a la literatura mexicana, y con tal motivo se invitó a Héctor Perea a preparar una antología del cuento mexicano actual. En la antología *De surcos como trazos, como letras* se incluyen 36 cuentos, seleccionados en su mayor parte entre lo más lúdico y radicalmente personal de diversos cuentistas, en su mayor parte publicados durante los últimos años de la década de 1980. Además, el compilador también seleccionó algunos textos publicados con anterioridad, relativamente poco difundidos, de autores reconocidos; entre éstos se podrían mencionar un minicuento publicado por Elena Poniatowska en 1954, un relato de Elena Garro originalmente editado en 1964 y un breve cuento de José Emilio Pacheco aparecido originalmente en 1970. De hecho, la misma organización del material reunido constituye una original propuesta personal para la lectura de la narrativa breve escrita en México hacia el fin de siglo, "más allá del peso de los nombres".

En la sección final ("Libro de las obsesiones") del segundo volumen de la *Antología de la narrativa mexicana del siglo* XX, elaborada por Christopher Domínguez, han sido reunidos 19 cuentos publicados todos ellos durante la década de 1980. El antologador ha creado categorías específicas para agrupar los cuentos seleccionados. Estas categorías tienen un claro origen literario: "Pasiones y humores", "La ciudad tan oscura", "Tierra baldía" y "La comedia imaginaria", esta última dividida, a su vez, en Paraíso, Purgatorio e Infierno. Es curioso señalar que muchos de los textos incluidos en esta selección fueron publicados originalmente por la editorial que publica la antología, el Fondo de Cultura Económica.

En 1993 se publicó *La palabra en juego*, antología del cuento mexicano publicado en forma de libro entre 1986 y 1992. Esta compilación, realizada por Lauro Zavala, forma parte de una serie de antologías sobre la literatura de cada país hispanoamericano, publicada por la Universidad Autónoma del Estado de México para conmemorar el quinto centenario del encuentro de dos mundos. En esta antología se reúnen 21 cuentos de naturaleza humorística e irónica de los principales escritores mexicanos contemporáneos, lo cual hace recordar (por contraste) la antología publicada por Carlos Monsiváis en 1984, en la que se reunieron otros tantos cuentos rigurosamente solemnes, con la excepción de Monterroso e Ibargüengoitia (*Lo fugitivo permanece. 21 cuentos mexicanos*, reimpreso en Cal y Arena, 1989). En oposición clara a dicha solemnidad, el compilador de *La palabra en juego* sostiene que el humor, la ironía, la parodia, la experimentación lingüística y la escritura ultracorta distinguen al cuento publicado durante este periodo.

A fines de 1993 se publicó en Quebec una compilación de cuentos mexicanos traducidos al francés por Louis Jolicoeur. Este autor también realizó un compendio de cuentos de la provincia de Quebec, publicado ese mismo año en la Dirección de Literatura de la UNAM. En esta selección de cuentos mexicanos, el antologador incluyó un cuento de cada uno de los siguientes escritores: Eugenio Aguirre, Óscar de la Borbolla, Gonzalo Celorio, Jesús Gardea, Humberto Guzmán, Hernán Lara Zavala, Silvia Molina, Lazlo Moussong, Aline Pettersson, Bernardo Ruiz, Severino Salazar, Guillermo Samperio, Juan Villoro y Eraclio Zepeda. Se trata de una selección determinada por la afinidad estética que existe entre estos autores, independientemente de sus fechas de nacimiento. Ésta es, hasta donde es posible rastrear, la primera antología de cuento mexicano publicada en Canadá.

Con motivo del Día Nacional del Libro, ese mismo año se publicó el primer tomo de una serie de tres, anunciada por Edmundo Valadés, con el título común de *Cuentos mexicanos inolvidables*. Cada uno de los dos tomos publicados, respectivamente, en 1993 y 1994, tuvieron un tiraje de 70 mil ejemplares, y se distribuyeron gratuitamente a los lectores que acudieron ese día a las librerías del país. Edmundo Valadés murió a principios de 1995, y ese año ya no se publicó el anunciado tercer volumen de la serie, lo que lleva a pensar que ya no tuvo tiempo de prepararlo.

Esta antología abarca toda la historia del cuento mexicano durante el siglo XX, sin seguir ningún orden específico. En los dos volúmenes publicados se incluyen 16 y 11 cuentos, respectivamente. Además de algunos relatos ampliamente conocidos de E. Hernández, E. Garro, I. Arredondo, J. de la Colina y M. L. Guzmán, también se encuentran aquí textos y autores poco conocidos, como Francisco Salmerón y Adela Fernández, y el cuento "Cuatro brevedades", de Salvador Novo.

En 1994 se publicó *Memoria de la palabra. Breve antología*, de Mario Muñoz, que incluye un total de 38 cuentistas, quienes publicaron entre 1970 y 1990. Su criterio de selección coincide con lo que al respecto señaló Carlos Fuentes, citado en su propio prólogo. Para este último, durante las últimas dos décadas ha disminuido la presencia de tendencias y corrientes, y en su lugar hay escritores y escritoras, es decir, voces específicas y muy personales. Esta antología es, entonces, una forma de mostrar la diversidad de estas individualidades. El compilador registra en su prólogo la existencia de las siguientes unidades temáticas presentes durante el periodo estudiado: "el erotismo, la condición femenina, el acontecer urbano, el cosmopolitismo, el cuestionamiento social, el ámbito de la provincia, lo fantástico y sus variantes, el ciclo ini-

I. Antologías generales: 1988-2003

Cluff, Russell M; Alfredo Pavón; Luis Arturo Ramos; Guillermo Samperio (selección): *Cuento mexicano moderno*. Prólogo de Alfredo Pavón. México, Universidad Nacional Autónoma de México/Universidad Veracruzana/Editorial Aldus, 2000, 829 p.

Dávila Gutiérrez, Joel (compilación): *Del pasado reciente. Selección del cuento mexicano contemporáneo*. México, Premiá, 1989, 276 p.

Da Jandra, Leonardo y Roberto Max (compilación): Introducción de Leonardo da Jandra. *Dispersión multitudinaria. Instantáneas de la nueva narrativa mexicana en el fin de milenio*. México, Joaquín Mortiz, 1997, 368 p.

De la Colina, José (selección e introducción): *Los mejores cuentos mexicanos. Edición 2002*. México, Joaquín Mortiz, 2002, 238 p.

De la Torre, Gerardo (selección e introducción): *Los mejores cuentos mexicanos. Edición 2003*. México, Joaquín Mortiz, 2003, 256 p.

Domínguez Michael, Christopher (selección y textos de presentación): *Antología de la narrativa mexicana del siglo xx*, vol. 2. México, Fondo de Cultura Económica, 1992, 1384 p.

Jacobs, Bárbara (selección e introducción): *Los mejores cuentos mexicanos. Edición 2001*. México, Joaquín Mortiz, 2001, 287 p.

Lara Zavala, Hernán (selección e introducción): *Los mejores cuentos mexicanos. Edición 1999*. México, Joaquín Mortiz, 1999, 284 p.

Miklós, David (selección y nota preliminar): *Una ciudad mejor que ésta. Antología de nuevos narradores mexicanos.* México, Tusquets, 1999, 236 p.

Muñoz, Mario (selección e introducción): *Memoria de la palabra. Breve antología.* México, CNCA/INBA/UNAM. Textos de Difusión Cultural, Serie Antologías, 1994, 567 p.

Perea, Héctor (selección e introducción): *De surcos como trazos, como letras. Antología del cuento mexicano finisecular.* México, Consejo Nacional para la Cultura y las Artes, 1992, 295 p.

Poot Herrera, Sara (edición); Pablo Brescia y Alejandro Rivas (corresponsables): *El cuento mexicano. Homenaje a Luis Leal.* (Contiene las ponencias y los cuentos presentados en la Universidad de California, Santa Barbara.) México, Universidad Nacional Autónoma de México, 1996, 652 p.

Serna, Enrique (selección e introducción): *Los mejores cuentos mexicanos. Edición 2000.* México, Joaquín Mortiz, 2000, 238 p.

Torres, Vicente Francisco (selección): *Cuentos mexicanos de hoy. Número especial de La Palabra y el Hombre,* núm. 78, abril-junio de 1991, 214 p.

Valadés, Edmundo (selección): *Cuentos mexicanos inolvidables,* 2 vols. México, Asociación Nacional de Libreros, Edición Especial con Motivo del Día Nacional del Libro, vol. 1 (1993, 190 p.); vol. 2 (1994, 182 p.).

Zavala, Lauro (selección y prólogo): *La palabra en juego. El nuevo cuento mexicano.* Toluca, Universidad Autónoma del Estado de México, 1993, 167 p.

——(selección y prólogo): *Relatos mexicanos posmodernos. Antología de prosa ultracorta, híbrida y lúdica.* México, Alfaguara, Serie Juvenil, 2001. Primera reimpresión, 2002, 133 p.

II. Antologías publicadas en el extranjero: 1988-2003

Bowen, David & Juan Antonio Ascensio (edición): *Pyramids of Glass. Short Fiction from Modern Mexico*. Introducción de Ilán Stavans, xiii-xxiii. San Antonio, Texas, Corona Publishing Company, 1994, 244 p.

Brandenberger, Edna (selección, traducción y notas): *Cuentos hispanoamericanos: México/Erzählungen aus Mexiko*. Edición bilingüe. Köln, Alemania, 1999, 228 p.

Carrera, Mauricio (selección y prólogo de la sección mexicana): *Cuentos sin visado. Antología cubano-mexicana*. México, Lectorum, 2002, 184 p.

Conde, Rosina; José Manuel DiBella, Harry Polkinhorn, Gabriel Trujillo Muñoz (edición): *Mexican Fiction*. Special Issue, *Fiction International* 25, San Diego State University, 1994, 277 p.

Délano, Poli (compilación y prólogo): *Cuentos mexicanos*. Santiago de Chile, Editorial Andrés Bello, 1996, 269 p.

Fornet, Jorge (elección e introducción): *Cuarenta nuevos escritores mexicanos*. Número especial de *Casa de las Américas*, año 35, núm. 197, La Habana, octubre-diciembre 1994, 176 p.

Gibbons, Reginald, ed.: *New Writing from Mexico. A TriQuarterly Collection of Newly Translated Prose and Poetry*. Special Issue of *TriQuarterly*. Evanston, Ilinois, Northwestern University, 1992, 420 p.

Jolicoeur, Louis (edición): *Nouvelles mexicaines d'aujourd'hui*. Québec, L'instant même, 1993, 175 p.

Lara Zavala, Hernán (edición): *New Writing from Mexico.* Special Feature Issue, *Manoa. A Pacific Journal of International Writing.* Contiene el ensayo de Ignacio Trejo Fuentes, "New Directions in Contemporary Mexican Narrative", pp. 34-37. Vol. 4, Number 2, Fall 1992, University of Hawaii Press, 226 p.

Lavín, Mónica (selección y prólogo de la sección mexicana): *Un océano de por medio. Nueva narrativa mexicana e italiana.* México, Lectorum, 2000, 352 p.

Muñoz, Mario (selección y prólogo): *Memoria de la palabra. Breve antología.* La Habana/México, UNAM, 1995, 570 p.

Stausberg, Hildegard y Héctor Medellín (compilación): *Chili und salz. Zerhn Erzählungen und Hörspiele aus Mexiko.* München, Goethe-Institut/Daedalus Verlag, 1995, 245 p.

Villoro, Juan (selección y presentación): sección de la revista *Hispamérica. Revista de Literatura.* La presentación de Villoro lleva el título "Pasaportes mexicanos", pp. 113-118. Gaithesburg, Maryland, núm. 53-54, año XVIII, 1989, 119 ss.

Zavala, Lauro (selección y presentación): *El humor y la ironía en el cuento mexicano, 1979-1991.* Montevideo, Asociación Nacional de Escritores de Uruguay, Editorial Signos, 2 vols., 101 y 88 p., 1992.

——(selección y prólogo): *La minificción en México. 50 textos breves.* Bogotá, Universidad Pedagógica Nacional de Colombia, 2002, 62 p.

III. Antologías regionales: 1988-2003

Abascal Andrade, Jorge Arturo (selección y prólogo): *Insólitos y ufanos. Antología del cuento en Puebla*, 1990-2000. Ensayo preliminar de Lauro Zavala. Puebla, Benemérita Universidad Autónoma de Puebla, 2003, 304 p.

Aguilar, Ricardo (selección y prólogo): *Cuento chicano del siglo xx*. México, UNAM/Ediciones Coyoacán/New Mexico State University. Textos de Difusión Cultural (UNAM), Serie Antologías, 1993, 296 p.

---------- y Cecilia Pino (compilación): *Antología del cuento chicano*. Toluca, Universidad Autónoma del Estado de México, 1992, 164 p.

Berumen, Humberto Félix (compilación): *El cuento contemporáneo en Baja California*. Mexicali, Instituto de Cultura de Baja California/Universidad Autónoma de Baja California, 1995, 176 p.

Cerda, Martha (compilación): *De tanto contar*. Guadalajara, La Luciérnaga Editores, 1993, 190 p.

Cruz, Paulo G. y César Aldama (compilación): *Los cimientos del cielo. Antología del cuento de la ciudad de México*. México, Premiá/Plaza y Valdés/DDF, 1988, 515 p.

Domene, Pedro M. (selección y prólogo): *Narrativa veracruzana actual*. Número especial de la revista *Cultura de Veracruz*. Xalapa, 1999, 278 p.

Doñán, Juan José (compilación): *El occidente de México cuenta. Antología del cuento reciente*. Convenio de Intercambio Cultural Centro-Occidente de México, 1995, 200 p.

Flores Flores, Ernesto (compilación): *Antología del cuento jalisciense*, 2 vols. Guadalajara, Ediciones del Ayuntamiento de Guadalajara, 1991, 612 p.

Hernández Viveros, Raúl (selección y prólogo): *Muestra narrativa veracruzana*. Número especial de la revista *Cultura de Veracruz*. Xalapa, 1998, 111 p.

Martínez Rentería, Carlos (compilación): *Érase una vez en el D.F. Crónicas, testimonios, entrevistas y relatos urbanos de fin de milenio*. México, Gobierno de la ciudad de México, 1999, 223 p.

Morales, Dionicio (selección y prólogo): *Palabras germinales. Antología de narrativa*. Guanajuato, Ediciones La Rana/Instituto Estatal de la Cultura de Guanajuato, 2001, 336 p.

Muñoz, Mario (compilación): *Recuento de cuentos veracruzanos*. Xalapa, Universidad Veracruzana, 1991, 374 p.

Novoa, Bruce y José Guillermo Saavedra (compilación): *Antología retrospectiva del cuento chicano*. México, CoNaPo (Consejo Nacional de Población), 1988, 217 p.

Schwarz, Mauricio-José y Don Webb (compilación): *Frontera de espejos rotos*. México, Ediciones Roca, 1994, 162 p

Silva Márquez, Alejandro (compilación): *Haciéndole al cuento. Narrativa jalisciense contemporánea*. Guadalajara, Consejo Estatal de la Cultura y las Artes (CECA) de Jalisco, 1993, 140 p.

Venegas, Socorro y Juan Pablo Picazo (compiladores): *Palabras pendientes. Poesía y narrativa joven de México*. Cuernavaca, Gobierno del Estado de Morelos, 1995, 142 p.

Zavala, Lauro (selección y estudio preliminar): *La ciudad escrita. Antología de cuentos urbanos con humor e ironía*. México, Ediciones del Ermitaño, 2000, 192 p.

IV. Antologías genéricas: 1988-2003 (cuento policiaco, fantástico y ciencia ficción)

Aguirre, Eugenio (presentación): *Criaturas de la noche 2. Cuentos de hombres-lobo*. Saltillo, Instituto Coahuilense de Cultura/CNCA/Universidad Autónoma de Coahuila, 1999.

—— (presentación): *Criaturas de la noche 3. Cuentos de brujas y brujos*. Saltillo, Instituto Coahuilense de Cultura/CNCA/Universidad Autónoma de Coahuila, 1999.

Bermúdez, María Elvira (selección y prólogo): *Cuento policiaco mexicano. Breve antología*. México, UNAM/Premià, 1989, 153 p.

Círculo Independiente de Ficción y Fantasía (selección): *Vampiros. Breve antología mexicana*. Tlaxcala, Universidad Autónoma de Tlaxcala, 1999.

Fernández Delgado, Miguel Ángel (compilación): *Visiones periféricas. Antología de la ciencia ficción mexicana*. México, Lumen, 2001, 221 p.

Guerrero, León (compilación y prólogo): *¿El crimen como una de las bellas artes?* México, CNCA/Instituto Coahuilense de Cultura/Miguel Ángel Porrúa, 2002, 101 p.

Instituto Politécnico Nacional: *Antología de cuentos*. Primer Certamen de Cuentos de Ciencia Ficción. México, IPN, 1990, 125 p.

Juárez Oñate, Rafael David (antologador): *Antología del cuento siniestro mexicano*. México, Editores Mexicanos Unidos, 2002, 220 p.

Porcayo, Gerardo Horacio (compilación): *Los mapas del caos. Antología de ciencia ficción.* México, Universidad Autónoma de Tlaxcala/Ramón y Llaca, 1997, 48 p.

——(compilación): *Silicio en la memoria. Antología cyberpunk.* México, Ramón y Llaca, 1998, 157 p.

Quirarte, Vicente (presentación): *Criaturas de la noche. Vampiros.* Saltillo, Instituto Coahuilense de Cultura/CNCA/Universidad Autónoma de Coahuila, 1998.

Ramos, Raymundo (compilación): *Agonía de un instante. Antología del cuento fantástico mexicano.* México, Quadrivium Editores, 1993, 275 p.

Saravia Quiroz, Leobardo (compilación): *En la línea de fuego. Relatos policiacos de frontera.* México, CNCA, Fondo Editorial Tierra Adentro, núm. 4, 1990, 137 p.

Schaffler, Federico (compilación): *Más allá de lo imaginado. Antología de ciencia ficción mexicana,* 3 vols. México, CNCA, Serie Fondo Editorial Tierra Adentro, núms. 7 y 8 (1991) y núm. 94 (1994).

——(coordinador): *9-9-99. Cuentos de horror, fantasía y ciencia ficción.* Nuevo Laredo, Tamaulipas, Colección Tierra Ignota, 1999,128 p.

Taibo II, Paco Ignacio y Víctor Ronquillo (compilación): *Cuentos policiacos mexicanos. Lo mejor del género en nuestro país.* México, Selector, 1997, 155 p.

Trujillo Muñoz, Gabriel (selección y prólogo): *El futuro en llamas. Cuentos clásicos de la ciencia ficción mexicana.* México, Editorial Vid, 1997, 232 p.

200 estudios sobre cuento en México: 1988 - 2003

A continuación presento los principales estudios y ensayos sobre el cuento literario publicados en México durante los últimos quince años. Las secciones de esta bibliografía son las siguientes: materiales de referencia, ficción en general, escritura del cuento, cuento hispanoamericano, entrevistas a cuentistas mexicanos, cuento fantástico, cuento de ciencia ficción, cuento chicano y cuento escrito por mujeres. Enseguida incluyo una docena de números monográficos sobre cuento mexicano aparecidos en diversas revistas literarias, y algunos estudios publicados en el país sobre cuentistas mexicanos y sobre cuentistas extranjeros. Esta bibliografía concluye con los títulos publicados hasta la fecha en las dos colecciones de libros dedicadas al cuento nacional (Destino Arbitrario y Confabulario), así como la obra reunida y las ediciones críticas de algunos cuentistas, y otros materiales útiles para el estudio del cuento mexicano.

Materiales de referencia

Carballo, Emmanuel: *Bibliografía del cuento mexicano del siglo XX*. México, Universidad Nacional Autónoma de México, 1988, 268 p.

Castañón, Adolfo: *Arbitrario de literatura mexicana*. México, Lectorum, 2003 (1995), 446 p.

Cluff, Russell M.: *Panorama crítico-bibliográfico del cuento mexicano (1950-1995)*. Tlaxcala, Universidad Autónoma de Tlaxcala/Brigham Young University, 1997, 379 p. (vol. 15 de la serie Destino Arbitrario).

Lara Valdés, Josefina y Russell M. Cluff: *Diccionario biobibliográfico de escritores de México, 1920-1970*. México, Instituto Nacional de Bellas Artes/Brigham Young University, 1993, 458 p.

Paredes, Alberto: *Figuras de la letra*. Difusión Cultural, Universidad Nacional Autónoma de México, 1990, 210 p.

Pereira, Armando (coordinación): *Diccionario de literatura mexicana*. Colaboradores: Claudia Albarrán, Juan Antonio Rosado, Angélica Tornero. México, Universidad Nacional Autónoma de México, 2000, 350 p.

Poot Herrera, Sara (edición); Pablo Brescia y Alejandro Rivas (corresponsables): *El cuento mexicano. Homenaje a Luis Leal.* (Contiene las ponencias y los cuentos presentados en la Universidad de California, Santa Barbara.) México, Universidad Nacional Autónoma de México, 1996, 652 p.

Ficción en general

Krauze de Kolteniuk, Rosa: *Los seres imaginarios. Ficción y verdad en literatura*. México, Universidad de la Ciudad de México, 2003, 136 p.

Paredes, Alberto: *Las voces del relato*. Xalapa, Universidad Veracruzana, 1987, 102 p.

Pimentel, Luz Aurora: *El espacio en la ficción*. México, Siglo XXI Editores, 2001, 250 p.

——: *El relato en perspectiva. Estudio de teoría narrativa*. México, Siglo XXI Editores, 1998, 192 p.

Prada Oropeza, Renato: *Análisis e interpretación del discurso narrativo-literario*, 2 vols. Universidad Autónoma de Zacatecas, 1993, 207 y 176 p.

——: *El lenguaje narrativo. Prolegómenos para una semiótica narrativa*. Universidad Autónoma de Zacatecas, 1991, 360 p.

Zavala, Lauro: *Cómo estudiar el cuento*. Guatemala, Palo de Hormigo, 2003, 160 p.

Escritura del cuento

Borbolla, Óscar de la: *Manual de creación literaria*. México, Nueva Imagen, 2002.

Giardinelli, Mempo: *Así se escribe un cuento*. Edición mexicana, contiene sección especial sobre cuento mexicano escrita por José Agustín. México, Grupo Patria Cultural, Nueva Imagen, 1998 (1992), 309 p.

Samperio, Guillermo: *Después apareció una nave. Recetas para nuevos cuentistas*. México, Alfaguara, 2002, 238 p.

Zavala, Lauro (ed.): Teorías de los cuentistas. México, Dirección de Literatura, Universidad Nacional Autónoma de México, 1993, 400 p.

——: *La escritura del cuento*. México, Dirección de Literatura, Universidad Nacional Autónoma de México, 1995, 436 p.

——: *Poéticas de la brevedad*. México, Dirección de Literatura, Universidad Nacional Autónoma de México, 1996, 398 p.

——: *Cuentos sobre el cuento*. México, Dirección de Literatura, Universidad Nacional Autónoma de México, 1998, 406 p.

Cuento hispanoamericano

Munguía Zatarain, Martha Elena: *Elementos de poética histórica. El cuento hispanoamericano*. México, El Colegio de México, 2002, 187 p.

Entrevistas a cuentistas mexicanos

Arenas Monsreal, Rogelio y Gabriela Olivares Torres: *La voz a ti debida. Conversaciones con escritores mexicanos*. México, Plaza y Valdés, 2001, 264 p.

Miller, Beth: *A la sombra del volcán. Conversaciones sobre la narrativa mexicana actual*. Guadalajara, Universidad de Guadalajara/Universidad Veracruzana, 1990, 305 p.

Torres, Vicente Francisco: *Esta narrativa mexicana. Ensayos y entrevistas*. México, Universidad Autónoma Metropolitana, Coordinación de Difusión Cultural, 1991, 270 p.

Cuento fantástico

Bravo, Víctor Antonio: *La irrupción y el límite*. México, Universidad Nacional Autónoma de México, Coordinación de Humanidades, 1988, 293 p.

González Dueñas, Daniel y Alejandro Toledo: *Aperturas sobre el extrañamiento. Entrevistas alrededor de las obras de Felisberto Hernández, Efrén Hernández, Francisco Tario y Antonio Porchia*. México, CNCA, 1993, 123 p.

Morales, Ana María; José Miguel Sardinas y Luz Elena Zamudio (eds.): *Lo fantástico y sus fronteras. Segundo Coloquio Internacional de Literatura Fantástica*. Puebla, Benemérita Universidad Autónoma de Puebla, 2003, 304 p.

Suárez Coalla, Francisca. *Lo fantástico en la obra de Adolfo Bioy Casares*. Toluca, Universidad Autónoma del Estado de México, 1994, 314 p.

Cuento de ciencia ficción

López Castro, Ramón: *Expedición a la ciencia ficción mexicana*. México, Lectorum, 2001, 192 p.

Trujillo Muñoz, Gabriel: *Los confines. Crónica de la ciencia ficción mexicana*. Edición en pasta dura. México, Grupo Editorial Vid, 1999, 288 p.

Cuentistas chicanos/as

López González, Aralia; Amelia Malagamba y Elena Urrutia (coordinadoras): *Mujer y literatura mexicana y chicana. Culturas en contacto*, vol. 2. México, El Colegio de México/El Colegio de la Frontera Norte, 1990, 315 p.

Elena Garro

Galván, Delia V.: *La ficción reciente de Elena Garro, 1979-1983*. Querétaro, Universidad Autónoma de Querétaro, 1988, 179 p.

Melgar, Lucía y Gabriela Mora (coordinadoras): *Elena Garro. Lectura múltiple de una personalidad compleja*. Benemérita Universidad Autónoma de Puebla, 2002, 386 p.

Rosas Lopátegui, Patricia: *Yo soy sólo memoria. Biografía visual de Elena Garro*. Monterrey, Ediciones Castillo, 1999, 129 p.

Inés Arredondo

Albarrán, Claudia: *Luna menguante. Vida y obra de Inés Arredondo*. México, Juan Pablos, 2000, 262 p.

Avendaño-Chen, Esther: *Diálogo de voces en la narrativa de Inés Arredondo*. Culiacán, Universidad de Occidente, 2000, 178 p.

Martínez Zalce, Graciela: *Una poética de lo subterráneo: la narrativa de Inés Arredondo*. México, Fondo Editorial Tierra Adentro, núm. 117, 1996, 146 p.

Julio Torri

Gómez Pezuela, María del Carmen: *Tres aproximaciones a la obra de Julio Torri*. México, UAM Azcapotzalco, Colección Ensayo, 2003, 126 p.

Sergio Galindo

De Anhalt, Nedda G.: *Allá donde ves la neblina. Un acercamiento a la obra de Sergio Galindo*. Xalapa, Universidad Veracruzana, 2003, 220 p.

José Revueltas

Negrín, Edith, ed.: *Nocturno en que todo se oye. José Revueltas ante la crítica*. México, Ediciones Era/Difusión Cultural, UNAM, 1999, 330 p.

Paredes Chavarría, Elia Acacia (coordinación didáctica); Lilia Espinosa García (coordinación temática): *Para leer... siete cuentos de José Revueltas*. México, Escuela Nacional Preparatoria, Universidad Nacional Autónoma de México, 2002, 114 p.

José Agustín

Calvillo, Ana Luisa: *José Agustín: Una biografía de perfil*. México, Blanco y Negro, 1998, 225 p.

Salvador Elizondo

Curley, Dermot F.: *En la isla desierta. Una lectura de la obra de Salvador Elizondo*. México, Fondo de Cultura Económica, Colección Popular, núm. 418, 1989, 253 p.

Estudios y ensayos sobre cuentistas extranjeros

Jorge Luis Borges

Barili, Amelia: *Jorge Luis Borges y Alfonso Reyes: la cuestión de la identidad del escritor latinoamericano*. Prólogo de Elena Poniatowska. México, Fondo de Cultura Económica, 1999, 239 p.

Bergero, Adriana: *Haciendo camino: pactos de la escritura en la obra de Jorge Luis Borges*. México, UNAM, Colección Biblioteca de Letras, 700 p.

Block de Behar, Lisa: *Borges. La pasión de una cita sin fin*. México, Siglo XXI Editores, 1999, 183 p.

Brescia, Pablo y Lauro Zavala, eds.: *Borges múltiple. Cuentos y ensayos de cuentistas*. México, UNAM, Dirección de Literatura, 1999, 398 p.

Capistrán, Miguel, ed.: *Borges y México*. México, Plaza y Janés, 1999, 424 p.

González Mateos, Adriana: *Borges y Escher. Un doble recorrido por el laberinto*. México, Aldus, 1998, 131 p.

Molachino, Justo y Jorge Mejía Prieto: *En torno a Borges*. México, JGH Editores, 1998, 182 p.

Olea Franco, Rafael, coord.: *Borges: desesperaciones aparentes y consuelos secretos*. México, El Colegio de México, 1999, 312 p.

Olaso, Ezequiel de: *Jugar en serio. Aventuras de Borges*. México, Paidós / UNAM, 1999, 160 p.

Pacheco, José Emilio: *Jorge Luis Borges, una invitación a su lectura*. México, Raya en el Agua, 1999, 128 p.

Prado Galán, Gilberto: *El año de Borges*. México, Universidad Iberoamericana/CNCA/Instituto Municipal de Cultura de Torreón/Miguel Ángel Porrúa, 1999, 119 p. Contiene análisis de 12 cuentos.

Sessarego, Myrta. *Borges y el laberinto*. México, CNCA, Serie Tercer Milenio, 1998, 63 p.

Julio Cortázar

Paredes, Alberto: *Abismos de papel. Los cuentos de Julio Cortázar*. México, Universidad Nacional Autónoma de México, 1988, 402 p.

Solares, Ignacio: *Imagen de Julio Cortázar*. México, Universidad Nacional Autónoma de México/Universidad de Guadalajara/Fondo de Cultura Económica, 2002, 125 p.

Valenzuela, Luisa; Bella Jozef; Alain Sicard: *Julio Cortázar desde tres perspectivas*. México, Universidad Nacional Autónoma de México/Universidad de Guadalajara/Fondo de Cultura Económica, 2002, 84 p.

Varios autores: *Otra flor amarilla. Homenaje a Julio Cortázar*. Guadalajara, Universidad de Guadalajara/Universidad Nacional Autónoma de México/Fondo de Cultura Económica, 2002, 121 p.

Gabriel García Márquez

Albala, Eliana: *La narración y la descripción en las ficciones de García Márquez*. México, Universidad Autónoma Metropolitana, Xochimilco, 2002, 48 p.

Ortega, Julio (compilación): *Gaborio. Artes de releer a Gabriel García Márquez*. México, Jorale, 2004, 281 p.

Macedonio Fernández

Beltrán Félix, Geney: *El biógrafo de su lector. Guía para leer y entender a Macedonio Fernández*. México, Fondo Editorial Tierra Adentro, núm. 258, 2003, 212 p.

cala/Instituto Nacional de Bellas Artes/CNCA/Instituto Tlaxcalteca de Cultura, 2002, 232 p.

Vol. 21: Russell M. Cluff: *Los resortes de la sorpresa. Ensayos sobre el cuento mexicano del siglo xx*. Tlaxcala, Universidad Autónoma de Tlaxcala/Brigham Young University, 2003, 358 p.

Vol. 22: Alfredo Pavón (ed.): *Púshale un cuento al piano. La ficción en México*. Tlaxcala, Universidad Autónoma de Tlaxcala/Instituto Nacional de Bellas Artes/CNCA/Instituto Tlaxcalteca de Cultura, 2003, 302 p.

Serie Confabulario

Narradores mexicanos del siglo xx. Director de la colección: Fabio Morábito. Coordinación de Humanidades, Universidad Nacional Autónoma de México, 1999-2003. Consejo editorial: Rosa Beltrán y Ana Castaño. Incluye, entre otros, los siguientes títulos:

Vicente Leñero: *La inocencia de este mundo* (Prólogo de Alberto Paredes) Bárbara Jacobs: Carol dice y otros textos (Prólogo de Alicia Llarea. Epílogo: Entrevista de Roberto García Bonilla).

Sergio Galindo: *Juego de soledades* (Selección y prólogo de Nedda G. de Anhalt. Epílogo de Luis Arturo Ramos).

Gerardo de la Torre: *De amor la llama* (Selección del autor).

José Agustín: *Cómo se llama la obra* (Selección del autor; Prólogo de Juan Villoro; Epílogo: Entrevista de Guillermo Samperio).

Fernando del Paso: *Cuentos dispersos* (Selección y prólogo de Alejandro Toledo. Epílogo de Elizabeth Corral Peña).

René Avilés Fabila: *Casa del silencio* (Nota introductoria y selección: Ignacio Trejo Fuentes. Entrevista de Mempo Giardinelli).

Eraclio Zepeda: *Los trabajos de la ballena y otros cuentos* (Prólogo y selección: Russell M. Cluff. Entrevista de Vicente Francisco Torres).

Juan Villoro: *La alcoba dormida* (Selección del autor. Prólogo de Álvaro Enrigue. Entrevista de Guadalupe Sánchez Nettel).

Paco Ignacio Taibo I: *El hombre sin corbata y otras fabulaciones* (Prólogo y selección de Juan Domingo Argüelles).

Guillermo Samperio: *La cochinilla y otras ficciones breves* (Selección del autor. Prólogo de Hernán Lara Zavala. Epílogo: Entrevista de Marco Antonio Campos).

Carlos Montemayor: *La tormenta y otras historias* (Selección y prólogo de Helen Anderson).

Efrén Hernández: *Tachas y otros cuentos* (Prólogo de Ana García Bergua).

José Durand: *Desvariante* (Prólogo de Francisco Segovia).

Obra reunida y ediciones críticas

Agustín, José: *Inventando que sueño. Cuentos completos 1968-1992*. México, Joaquín Mortiz, 1995, 392 p.

Arredondo, Inés: *Obras completas*. México, Siglo XXI, 1988, 356 p.

Arreola, Juan José: *Antología*. Selección y prólogo de José Agustín. México, Joaquín Mortiz, 1999.

Arreola, Juan José: *Obras*. Antología y prólogo de Saúl Yurkiévich. México, Fondo de Cultura Económica, 1995, 719 p.

Elizondo, Sergio: *Narrativa completa*. Prólogo de Juan Malpartida. México, Alfaguara, 1999, 663 p.

García Ponce, Juan: *Cuentos completos*. Barcelona, Seix Barral, 1997, 458 p.

Gardea, Jesús: *Reunión de cuentos*. México, Fondo de Cultura Económica. Ed. pasta dura, Serie Letras Mexicanas, 1999, 483 p.

Garibay, Ricardo: *Obras reunidas*, vol. 1: *Cuento*. Introducción general de Vicente Leñero. Ensayo particular de Manuel Gutiérrez Oropeza. CNCA, 2001, 608 p.

Girondo, Oliverio: *Obra completa*. Edición crítica coordinada por Raúl Antelo. Madrid, Galaxia Gutenberg/Círculo de Lectores, ALLCA XX, Colección Archivos, núm. 38, 1999, 798 p.

Nervo, Amado: *Algunas narraciones*. Prólogo de Óscar Mata. México, Factoría Ediciones, 1999, 191 p.

Pitol, Sergio: *Todos los cuentos*. Prólogo de Juan Villoro. México, Alfaguara, 1998, 347 p.

Ramírez Heredia, Rafael: *La condición del tiempo. Cuentos*. México, Fondo de Cultura Económica, 2003.

Revueltas, José: *La palabra sagrada*. Selección y prólogo de José Agustín. México, Ediciones Era, 1999, 208 p.

Rojas González, Francisco: *Obra literaria completa*. Estudio preliminar, ordenación y bibliografía de Luis Mario Schneider. México, Fondo de Cultura Económica. Ed. pasta dura, Serie Letras Mexicanas, 1999, 815 p.

Rulfo, Juan: *Toda la obra*. Edición crítica coordinada por Claude Fell. México, Colección Archivos, Fondo de Cultura Económica, 1992, 950 p.

Sada, Daniel: *Todo y la recompensa. Cuentos completos*. México, Debate, 2002, 327 p.

Samperio, Guillermo: *Cuando el tacto toma la palabra. Cuentos, 1974-1999*. México, Fondo de Cultura Económica. Ed. pasta dura, Serie Letras Mexicanas, 1999, 597 p.

Otros

Brunet, Graciela: *Ética y narración. Los recursos del cuento, la novela y el cine en la enseñanza de la ética*. México, Edere, 2003, 64 p.

Chávez Castañeda, Ricardo y Celso Santajuliana: *La generación de los enterradores*, vol. I. *Una expedición a la narrativa mexicana del tercer milenio*. (Escritores nacidos en la década de los sesenta). México, Nueva Imagen, 2000, 190 p.

Chávez Castañeda, Ricardo y Celso Santajuliana: *La generación de los enterradores*, vol. II. *Una nueva expedición a la narrativa mexicana del tercer milenio*. México, Nueva Imagen, 2003, 256 p.

Del Campo, Xorge: *Letras y balas. La narrativa de la Revolución mexicana*. México, Emes Editores, 2001, 282 p.

Molina, Silvia: *Encuentros y reflexiones*. México, Dirección de Literatura, Universidad Nacional Autónoma de México, 1998, 162 p.

Ortega, José: *Letras mexicanas de nuestro tiempo*. Xalapa, Ediciones Cultura de Veracruz, 2002, 211 p.

Patán, Federico: *Los nuevos territorios. Notas sobre la narrativa mexicana*. México, UNAM, 1992, 354 p.

Pavón, Alfredo: *Cuento de segunda mano*. Xalapa, Universidad Veracruzana, 1999, 132 p.

Ruiz Abreu, Álvaro: *La cristera, una literatura negada*. México, Universidad Autónoma Metropolitana, Xochimilco, 2003, 490 p.

Toledo, Alejandro: *Lectario de narrativa mexicana*. México, Ediciones Sin Nombre/Fondo Nacional para la Cultura y las Artes, 2002, 263 p.

——: *Cuento hispanoamericano/cuento mexicano: Conversaciones de Luis Leal y Seymour Menton*. México, Universidad Nacional Autónoma de México, Serie Deslinde. Cuadernos de Cultura Política Universitaria, núm, 179, 1987, 27 p.

Torres, Vicente Francisco: *Narradores mexicanos de fin de siglo*. México, Instituto Nacional de Bellas Artes/UAM, Difusión Cultural, 1989, 131 p.

——: *La otra literatura mexicana*. México, UAM Azcapotzalco, 1994, 134 p.

Zavala, Lauro, coord.: *Lecturas simultáneas: la enseñanza de lengua y literatura con especial atención al cuento ultracorto*. México, UAM Xochimilco, 1999, 149 p.

El cuento mexicano en el extranjero

Gunia, Inke: ¿*"Cuál es la onda"? La literatura de la contracultura juvenil en el México de los años sesenta y setenta*. Frankfurt, Vervuert, 1994, 356 p.

Simmen, Edward: *Gringos in Mexico: One Hundred Years of Mexico in the American Short Story*. Texas Christian University, 1998, 392 p.

Stavans, Ilan, ed.: *Prospero's Mirror. A Translator's Portfolio of Latin American Short Fiction*. Willimantic, Curbstone Press, 1998, 322 p.

Esta obra se terminó de imprimir en mayo del 2004
en los talleres de Impresos Naucalpan, S.A. de C.V.
San Andrés Atoto No. 12, Col. San Esteban
C.P. 53550, Naucalpan, Edo. de México